2021
年度版

|別冊|

★★★

有料老人ホーム 三ツ星ガイド

大阪─兵庫

90選

1,472施設を調査した介護業界のプロが厳選

介護の三ツ星コンシェルジュ編集部

幻冬舎 MC

読者の皆さまへ

高齢者住宅・施設は多様化し玉石混淆の状況です。特に民間の有料老人ホーム、サービス付き高齢者向け住宅（以下、この2種類をまとめて「ホーム」と記載）は価格差が大きいうえ、運営する事業者の方針によって同じ価格帯のなかでもさまざまなサービスの違いが生じています。その違いを把握して自分に合った入居先を見つけるのは至難の業といえます。

今回は、判断が難しいホーム選びにおいて、選ぶべき価値があるものを見つけやすくするために、一般社団法人 日本シニア住宅相談員協会と協同で調査を行いました。すべての調査員は、高齢者施設の元経営者･元従業員ほか、高齢者施設のエキスパートばかりです。施設が公表しているオフィシャルな情報と、そういった情報からは判断できないサービス姿勢等を調査し、「読者の皆さまへ自信をもってお勧めできるか」という視点で、選ぶべき価値のあるホームに星を付与させていただきました。

今回は、単なる公開情報による形だけの調査ではなく、人が介在する血の通った調査結果となっています。ホーム選びをする方にとって、今までにない有益な情報源となり得るものですが、個々に事情が異なるためすべての方に当てはまるものではありません。

前著『関西版　介護業界のプロが本気で調査　有料老人ホーム三ツ星ガイド』発刊後、多くの読者から「星が付与されたすべてのホームについて、詳細を掲載してほしい」という声が寄せられました。本書では星を付与したホームの特長を余すことなく掲載しています。ぜひ良質なホーム選びの「道標」としてください。

前著よりもさらに皆さまのホーム選びの参考となることを期待しています。

株式会社ベイシス
介護の三ツ星コンシェルジュ編集部一同

別冊
「有料老人ホーム三ツ星ガイド2021年度版」
大阪―兵庫 90 選　のコミットメント

～このガイドブックが、良質なホーム選びの道標となるために～

本書はホーム選びの有益な情報源となるものです。しかしながら、各ホームが多様性を継続するために、ホームに関わるすべての方々とともに歩んでいけたらと考えています。良質なホーム選びの道標となるために。このガイドブックは次のことを守りながら今後も調査を続けていきます。

○ 匿名調査

ホームへの訪問調査は、一般社団法人 日本シニア住宅相談員協会の資格をもつ優良な専門相談員が実施しています。彼らは顧客に随行してホーム見学を行いその知識によって担当エリアのホームの調査を行いますが、ホーム側には自分が調査員であることはいっさい名乗りません。

○ 独立性

ホームの調査は、唯一読者の利益を目指して独自に行われ、介護の三ツ星コンシェルジュ編集部責任者と一般社団法人日本シニア住宅相談員協会責任者の決定の結果行われます。星を付与されたホームの本書への掲載は無料となっています。

○ 一貫性

調査基準は、価格帯、立地、運営事業者（株式会社、社会福祉法人、医療法人等）にかかわらずすべてのホームで同じ基準を採用しています。

「有料老人ホーム三ツ星ガイド」の選定方法

本書でご紹介する、星が付与された有料老人ホームは、どのような基準で選ばれたのかを説明します。

我々「介護の三ツ星コンシェルジュ編集部」は「一般社団法人 日本シニア住宅相談員協会」とタッグを組み、関西の北河内、北摂、大阪市内、阪神間、神戸市内にある1,472カ所のホームを調査し、各項目で点数を付けました。

今回の調査では、大きく分けて「ハード面の充実」「ソフト面の充実」「ホームを紹介するプロの相談員の評価」の3つの視点から、20の調査項目を決め選定しています。それぞれの視点をある程度満たすホームであれば、読者の皆さまに勧められると考えています。

詳細な調査項目については右図のとおりです。当編集部の調査が合計60点満点中、50点以上で星が2つ、40点以上で星1つ、協会側は投票制で各12点合計60点満点にし、編集部と協会の合算で星の数が決まっています。

※本書は有料老人ホームの調査であるため、各施設の調査項目の点数の内訳や獲得合計点数の発表はランキングになってしまうと考え、掲載を控えさせていただきます。

介護の三ツ星コンシェルジュ編集部の調査【A】

調査項目		調査方法
ハード面の充実	居室の広さ	合計 60 点満点 ・合計 50 点以上で ★★ ・合計 40 点以上で ★
	共用施設の充実	
	グループケアの実施	
	十分な浴室数を配置	
	介護浴槽の設置	
ソフト面の充実	食事の評判の良さ	
	手厚い人員配置	
	職員定着率が高い	
	医療対応力	
	介護福祉士率	
	リハビリカ	
	夜間職員の配置	
	看取り能力	
	情報発信力	
	経営面	

相談員の評価【B】

調査項目	調査方法
職員の接遇態度の良さ（挨拶・笑顔・心配り等）	合計 60 点満点 ・合計22.5点以上で ★★ ・合計 16 点以上で ★
ホーム長の受け入れに対する積極性（熱意・工夫・柔軟な対応等）	
認知症対応力（姿勢・スキル・実績等）	
アクティビティ活動の充実（メニュー・頻度・個性等）	
居心地の良さ（整理整頓・ハード・ソフト両面の雰囲気・明るさ等）	

【A】と【B】の調査を合計し、★の数を決定！

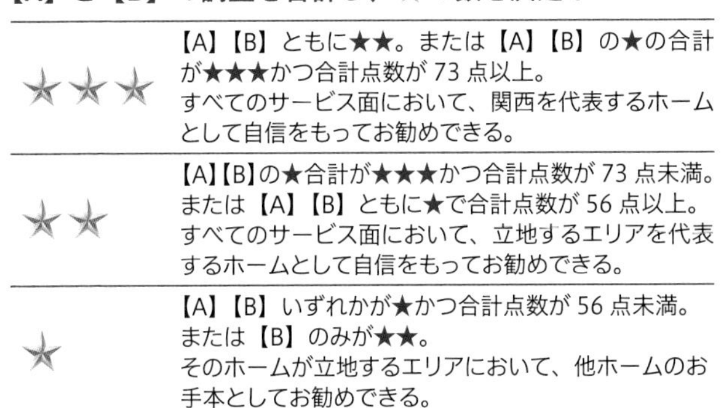

★★★	【A】【B】ともに★★。または【A】【B】の★の合計が★★★かつ合計点数が 73 点以上。 すべてのサービス面において、関西を代表するホームとして自信をもってお勧めできる。
★★	【A】【B】の★合計が★★★かつ合計点数が 73 点未満。または【A】【B】ともに★で合計点数が 56 点以上。 すべてのサービス面において、立地するエリアを代表するホームとして自信をもってお勧めできる。
★	【A】【B】いずれかが★かつ合計点数が 56 点未満。または【B】のみが★★。 そのホームが立地するエリアにおいて、他ホームのお手本としてお勧めできる。

目次

エリア別

【施設種別】

- 有 …有料老人ホーム・介護内包型
- 有 …有料老人ホーム・介護外包型
- サ …サ高住・介護内包型
- サ …サ高住・介護外包型

【入居対象者】

…主に要介護　…主に自立

【その他】

…低価格帯　…24時間看護師配置

…リハビリ専門職員配置

※**介護内包型**…介護サービス（日常生活上の援助等）と看護サービス（健康管理、医師の指示による医療行為等）を事業所の従業者が行う。介護保険サービスの特定施設入居者生活介護の認可を得ている施設。「介護付」と標記される。

※**介護外包型**…介護サービスと看護サービスは、入居者と個別に契約を結んだホーム運営会社と同一もしくは他事業者の在宅事業所等（訪問介護、訪問看護等）が行う。有料老人ホームの標記では「住宅型」とされる。

※**低価格帯**…入居一時金0円、月額利用料20万円未満

【北河内エリア】

枚方市

交野市

四條畷市

寝屋川市

大東市

門真市

守口市

【北摂エリア】

星別

【施設種別】

- 有（黒）…有料老人ホーム・介護内包型
- 有（白）…有料老人ホーム・介護外包型
- サ（黒）…サ高住・介護内包型
- サ（白）…サ高住・介護外包型

【入居対象者】

- 要介護…主に要介護　自立…主に自立

【その他】

- 低価格…低価格帯　看護…24時間看護師配置
- リハ…リハビリ専門職員配置

※**介護内包型**…介護サービス（日常生活上の援助等）と看護サービス（健康管理、医師の指示による医療行為等）を事業所の従業者が行う。介護保険サービスの特定施設入居者生活介護の認可を得ている施設。「介護付」と標記される。

※**介護外包型**…介護サービスと看護サービスは、入居者と個別に契約を結んだホーム運営会社と同一もしくは他事業者の在宅事業所等（訪問介護、訪問看護等）が行う。有料老人ホームの標記では「住宅型」とされる。

※**低価格帯**…入居一時金0円、月額利用料20万円未満

★★★

五十音順

【施設種別】

- 有（黒）…有料老人ホーム・介護内包型
- 有（白）…有料老人ホーム・介護外包型
- サ（黒）…サ高住・介護内包型
- サ（白）…サ高住・介護外包型

【入居対象者】

- 要介護…主に要介護　自立…主に自立

【その他】

- 低価格帯…低価格帯　看護師…24時間看護師配置
- リハビリ…リハビリ専門職員配置

※**介護内包型**…介護サービス（日常生活上の援助等）と看護サービス（健康管理、医師の指示による医療行為等）を事業所の従業者が行う。介護保険サービスの特定施設入居者生活介護の認可を得ている施設。「介護付」と標記される。

※**介護外包型**…介護サービスと看護サービスは、入居者と個別に契約を結んだホーム運営会社と同一もしくは他事業者の在宅事業所等（訪問介護、訪問看護等）が行う。有料老人ホームの標記では「住宅型」とされる。

※**低価格帯**…入居一時金0円、月額利用料20万円未満

さ行

た行

超希少！
1,472 施設から選んだ
プレミアムな
三ツ星 12 ホーム

「高齢者住宅は生活の場」元気を育む生活リハビリを提供

北河内エリア

エイジフリー・ライフ星が丘 （➡ p.52）

楽しみながら自発的に行える“生活”リハビリ

館内は生活リハビリに合わせたコンセプトでつくられており、お手洗いを使用される際の機器“ファンレストテーブル”をはじめ、低めに設定された食事用の机や椅子、浴槽等が導入されています。

「生活リハビリ」とは生活のなかの入浴、排泄、食事といったさまざまな場面での動作を中心にご本人さまのもっている能力を意識し使うことで、維持向上を目指します。スタッフもリハビリ視点でのケアでご入居者さまの日々の生活動作にお力添えしています。

リハビリ室まで出向いてリハビリをすることが難しい方にも適しています。

生活リハビリを推進するチームを立ち上げ、スタッフの育成

と、さまざまな設備を活用することで、いつまでも“元気”を育める生活の場を提供しています。

また、1.5人対1人以上の手厚い人員配置、24時間ナース常駐等で、介護や医療対応が必要な状態になっても、なんの不安もなく毎日をお過ごしいただけます。もう15年もお住まいになっている方もいらっしゃいます。

屋上農園では野菜の栽培

3階から通じるテラスには、竹林を備えた「ヒーリングガーデン」があり、日中は自由に出入りできます。入り口のセンサーとスタッフのインカムで「今、誰かがガーデンにいる」ことはホーム全体で把握できますから、お一人でも気の向いたときに散策を楽しんでいただけます。また、屋上には車椅子でも作業できる農園があり、ボランティアの方と一緒に野菜作り等を楽しめます。こうした「館内の屋外空間」利用で、新型コロナで外出が難しいなかでも、気分をリフレッシュしたり、体力の低下や認知症が進行したりする不安を解消できます。

「思い出コーナー」で回想療法

ご入居者さまに人気なのが1階の「思い出コーナー」です。昭和初期頃からのレコードジャケットや雑誌、蓄音機やタイプライターといった物を展示しています。自慢の蔵書等ご入居者さまの私物展示もできます。セルフサービスのカフェもすぐ近くに用意されており、ご家族等が来館のときは、コーヒーカップ片手に思い出話で盛り上がっています。

レクは週13回
自社PTによる体操は毎日実施

北河内エリア

ぽぷら (➡ p.57)

ご入居者さまの希望で外食ツアー

アクティビティの充実が評価されての今回の三ツ星獲得だと考えています。アクティビティは日曜日の午前中を除く、毎日午前・午後に1回ずつ行っています。午前中は理学療法士による体操やゲーム等をして、午後は介護スタッフが担当するレクリエーションで、カラオケ機器に搭載された脳トレーニングやゲーム、運動等を実施しています。

また、自慢のアクティビティの一つがコロナ前までは毎月1回実施していた「外食・買い物ツアー」です。ご入居者さまから「〇〇に行きたい」「□□を食べたい」等さまざまな希望を聞き、各種ツアーを企画します。ツアーごとに参加人数は異なり、「願いが叶ったご入居者さまの笑顔が見たい」という一心で、

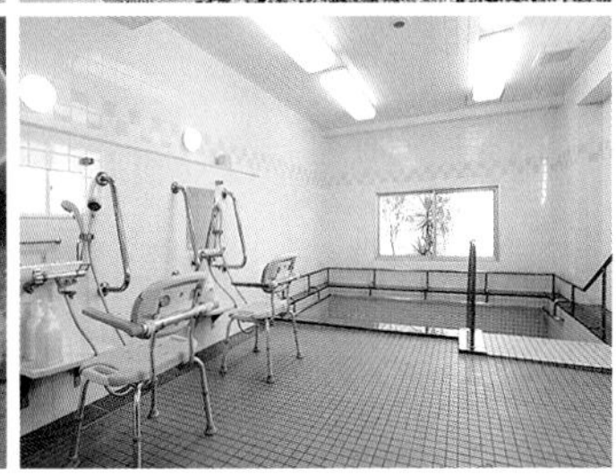

人数にこだわらず柔軟に実施してきました。このツアーの円滑な開催には、ご入居者さまが気軽に希望を口にできる環境であることが大切です。日頃よりコミュニケーションをしっかり図り、どのような生活を望まれているのかを把握するようにしています。

米や果物は農園より直接仕入れ

食事にもこだわっています。外部事業者に委託する形ですが、お米をはじめ果物等の食材は隣接する農園より直接仕入れて施設内厨房で調理しますので、作りたての安心・安全な食事をご提供できます。この農園で栽培される米は「大阪エコ農産物」の認証も受けています。

敬老の日はスタッフ有志が劇を披露

夏祭りやクリスマス等のイベントも充実しています。敬老の日にはスタッフ有志が劇を披露します。2020年は「おおきなかぶ」で、当日のナレーションはご入居者さまにお願いしました。様子を見に来ていた社長が急遽飛び入りでエキストラとして舞台に上がる等、立場を超えて全員で楽しみ、ホーム中が大きな笑いに包まれました。

また、業務の合間を縫ってイベントの企画や準備に皆で協力して取り組むこと、そして当日に「ご入居者さまを笑顔にさせる」という成功体験がスタッフの一体感を生み出し、モチベーションの向上につながっています。

パナソニックならではの、質にこだわった建物のつくりとサービス

北河内エリア

サンセール香里園（➡ p.58）

建物内にいながら五感を刺激

施設内にいながら、音・香り・手触り・陽光の暖かさ等で五感全体が刺激され、自然に季節の移ろいを感じることができるホームです。日の光をふんだんに浴びることで認知症のご入居者さまでも生活リズムが整いやすい等、認知症ケアの面でも良い効果が得られます。

「音」に関しては、ホーム入り口に大きな滝があります。さわやかな水音は人の気持ちを穏やかにさせ、「この滝が気に入って入居を決めた」という方が何人もいらっしゃいます。また、「サンセール」というホーム名にもあるように、建物は採光性に優れた設計になっており、穏やかな日の光がたっぷりと差し込みます。

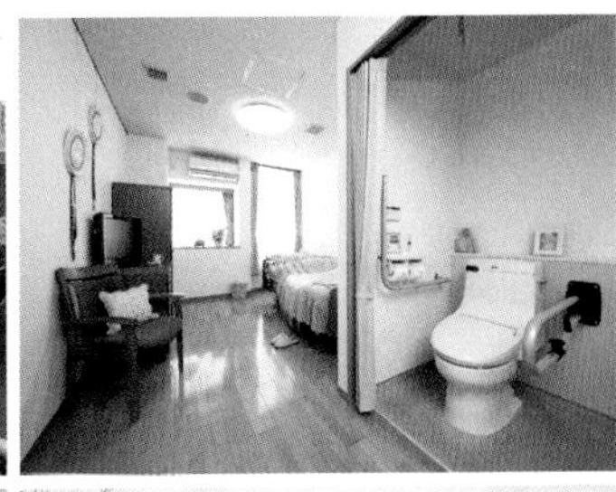

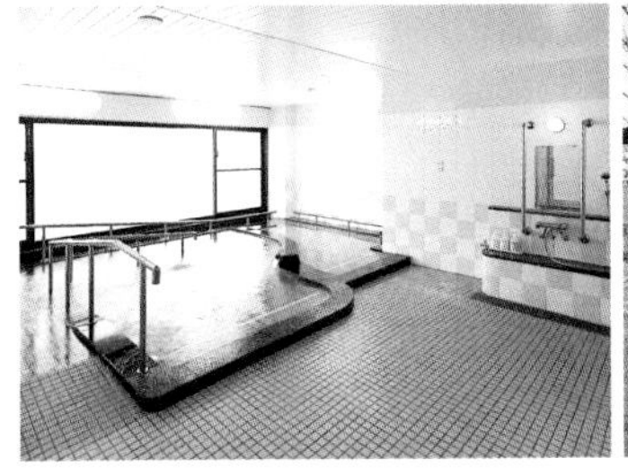

果樹園の果物は持ち帰り自由

「香り」と「手触り」は、1階の屋外果樹園と4階の農園、屋上の「癒しの庭」です。果樹園では柿やキウイ、農園では大根やサツマイモ等を栽培していますし、癒しの庭にはハーブやフルーツが植えられており、目や香り、土の感触で四季を感じられます。農園ではボランティアのサポートを受けながらご入居者さまも畑仕事に精を出しています。収穫した果物や野菜はホームの食卓に並ぶこともありますが、果樹園の果物はご入居者さまが自由に収穫して自室に持ち帰れます。

「ホーム内運動会」等、新レク続々

アクティビティの充実もホームの自慢です。介護スタッフのなかから適性や本人の希望を踏まえ、介護現場を離れて専門にレクの企画・実行を担当するスタッフを1人選出しています。現在は若手女性スタッフが担当していますが、彼女が担当してから、新たに「ケーキバイキング」「天ぷらバイキング」「ホーム内運動会」「外部講師を招いての陶芸教室」「少人数のグループに分かれての散歩（散歩隊）」等が行われ、ご入居者さまの笑顔が以前よりもずっと増え、活動的になりました。同時に、介護スタッフにはご入居者さまに寄り添う時間が増えてケアの質も上がり、アクティビティも充実する、という好循環が生み出されました。

医療法人とのグループ経営
有床診療所と密な連携

北河内エリア

アーバニティ若水 （➡ p.60）

看護師 24 時間常駐
理学療法士も 4 人

高齢者住宅の入居に際し「病気になっても、終末期になっても住み続けたい」という希望をもたれるご入居者さまは少なくありません。当ホームの母体は医療法人恵和会、JR住道駅前で内科、循環器・呼吸器内科、皮膚科、耳鼻咽喉科等 7 つの診療科を有する総合クリニックです。ホームとクリニックは徒歩 2 分の距離のため密接な連携が可能で、ご入居者さまのほとんどの疾患に対していち早く対応します。クリニックには病床もありますから、必要に応じて入院もできます。ホームには看護師が 24 時間体制で常駐していますので、胃瘻、透析、痰吸引等が必要な方の受け入れも可能です。

日常的にもホームに常駐の 4 人の理学療法士やクリニックの

人間ドック等、ご入居者さまの健康維持のための体制が十分に整っています。

「ホーム内で看取り」が基本姿勢

「末期がんで余命3カ月」等の状態で入居する方も多くいらっしゃいますが、ホームで栄養のある食事をとり、適度な運動を行いイベントや会話を楽しんで、といった生活をしていると、皆さん余命期間よりもずっと長く過ごせます。なかには余命宣告を受けて入居したあと、2年半住んでいた方もいらっしゃいました。最期のときもご本人やご家族が病院搬送を希望しない限り、ホームで看取ることが開設以来のモットーです。実際、年間10人ほどをお見送りしています。そんな医療・看取りに対する姿勢が評価されて、神戸市等遠方から入居される方もいらっしゃいます。

見た目にもこだわった食事提供

数年前には食事の委託先を変更し、神戸でフレンチレストラン経営やホテルの厨房受託をしている会社を選びました。味はもとより盛り付け等「見て楽しい」食事が自慢です。ホームでは、椅子等の調度品はほぼ特注、本物志向を追求し食器にも陶器を選んでいます。料理も本格的な食器に見合った本物のご提供にこだわりました。

ほかの高齢者住宅に入居していた方が「おいしい料理を食べたい」と移って来られるケースもあるほどです。

夜間看護師非常駐ながら、医療ケア・看取り対応充実

北河内エリア

クオレ門真 （➡ p.61）

終末期の意思確認、全員に徹底

低価格型であるため、ハード面でこれといった特長をもたないホームですが、今回、三ツ星をいただけたのは「医療対応と、看取りを含めたターミナルケアの姿勢」が評価をされたためだと考えています。

看護師はオンコール体制になりますが、ホームでは胃瘻、ストーマ、透析、インスリン注射等医療的な対応が必要な方の受け入れを積極的に行っています。定員は49人と、大型のホームではありませんが、2020年4月～12月の9カ月間だけで5人の方を看取りました。ご入居時に、ご本人やご家族に対してターミナル期や看取りに関する意思確認を行っており、可能な限りご要望を実現するよう、外部スタッフを含め関係者が一丸

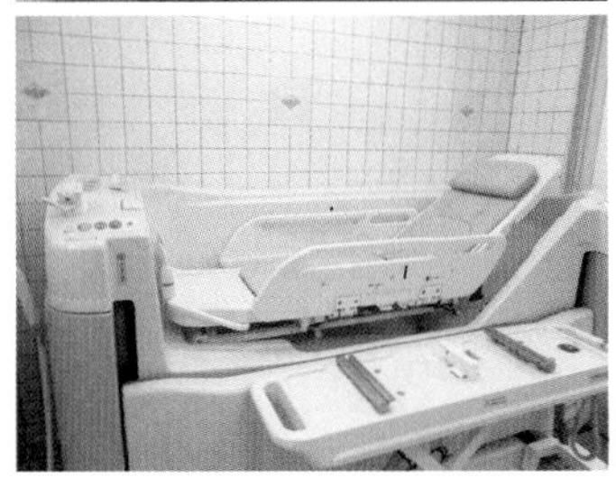

となって取り組みます。もちろん、入居後はいつでも意思の変更を行うことができます。

コロナ禍でも「最期のとき」は一緒に

看取りを重視するからこそ実施していることもあります。例えば、新型コロナ対策下の看取りです。ほかの高齢者住宅や病院では、面会が厳しく制限され「家族の最期にそばにいてあげられなかった」ということもあったようですが、当ホームではご家族のご希望があれば、最期の時間を一緒に過ごせるよう工夫します。昨年11月の看取りのケースでは、スタッフは席を外し、奥さまと娘さまだけが居室に入って、密を避けて最期のひとときを一緒に過ごしていただく、という形で対応しました。看取り期にはレンタル寝具を利用して、ご家族が同じ部屋に泊まり込むこともできます。大手の事業者では難しい、マニュアルにこだわらないケースバイケースでの対応力が私たちの強みです。

施設長は開設以来16年間勤務

施設長は開設以来16年間このホームに勤務し、スタッフのなかにも開設以来のメンバーが残っています。それによって16年間にわたり「ご入居者さまに居心地の良い環境を提供する」というホーム運営に関する理念・哲学がぶれることなく、経験やノウハウが蓄積され続けてきました。これがホームの最大の財産であると思っています。

医療・ターミナルケアに強み 看取りは年間 18 件程度

北河内エリア

エイジフリー・ライフ大和田 (➡ p.62)

スタッフの半数がキャリア 10 年以上

スタッフ 70 人のうち、6 割近い 40 人がキャリア 10 年以上です。1998 年開設というホームの長い歴史と、スタッフの経験・知識・ノウハウの蓄積が相まって、実績に裏付けられた看取りや困難事例受け入れ等が強みだと自負しています。

開設以来の累計看取り数は 200 人以上。年間で平均 20 名が退居されるうち、17 ～ 18 名がホームのなかで最期を迎えられています。そのほとんどがご家族からの「一緒に過ごしてきたホームの仲間に看取ってほしい」というご希望によるものです。こうした信頼関係をご家族と築けたことは、私たちの大きな喜びです。

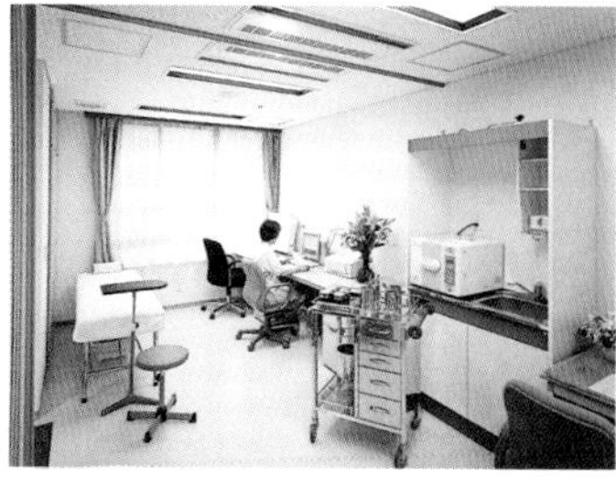

寝たきりの方も
アクティビティの場に

ホームの歴史が長いこともあり、要介護 4 と 5 のご入居者さまだけで全体の 4 割を占めています。ただ、寝たきりやそれに近い方でも、なるべく食事やアクティビティの場に一緒にいてもらいます。参加は難しいとしても、仲間が楽しそうに過ごしている場所に身をおくことはご本人にも良い刺激になります。実際に、普段はほとんど反応を示すことができなくなった方でも、音楽アクティビティの場では耳を傾けているような仕草を見せることもあります。

リハビリ室とカフェを一体化

2014 年に屋上を「リハビリ庭園」として改修しました。万一転んでも安全なように床材をやわらかいものにしたほか、もともと屋上に安置されていた観音像までの距離を「ここから 70 メートル」等と表示し、自発的に散歩したくなる環境を整えています。ここでの散歩をケアプランに組み込んでいる方もいらっしゃいます。

また、4 階にはリハビリ室とカフェを組み合わせた「リハビリカフェ」があり、自転車こぎマシンやデジタルミラー、手すり等のトレーニング機器を設置しています。カフェを併設したことで、仲間がリハビリをする姿が自然に目に入るようになりました。それを見て「自分も頑張らなくては」と、以前よりも熱心に取り組む方が増え、ホーム全体も活気に溢れるようになりました。

ラジオ体操で
ご入居者さまの転倒ゼロに

北河内エリア

グリーンライフ守口 （➡ p.64）

2016年「リハビリ重視ホーム」に

昨年は「ご入居者さまの転倒事故をゼロに」を目標としてホーム一丸で取り組み、見事達成しました。ご入居者さまを含めた全員の意識の高さ、一つの目標に向けて皆で協力するチームワークの良さや実行力の高さはホームの宝といえます。

当ホームは2016年、それまで居室だったスペースを機能訓練室に改修し、パワーリハビリテーション機器4台を導入し「リハビリ重視ホーム」として生まれ変わりました。常駐・非常駐合わせて4人の理学療法士が、お一人おひとりの身体状況に応じたオーダーメイドのリハビリを提供しています。一方、それでも転倒事故が見られたことから、転倒事故ゼロを2020年4月に目標として掲げました。

毎日9時に全館でラジオ体操

対策の柱となったのが「ラジオ体操」です。全身の筋肉をくまなく使うラジオ体操は、高齢者の身体機能維持・改善に非常に効果があり、誰でも気軽に行えます。当ホームは以前よりラジオ体操を推奨してきましたが、全館挙げての取り組みとまではいえませんでした。そこで4月からは毎朝9時にラジオ体操の音楽と参加を呼び掛けるアナウンスを館内放送で流し、スタッフは全員業務を止めて参加することを義務化、ご入居者さまには自室内や食堂等での参加を呼び掛けました。お一人おひとりのお身体の状況もあり、ご入居者さまは全員参加となってはいませんが、参加している方の転倒事故はいっさい発生しませんでした。

グループの事例発表会で優勝

このラジオ体操の取り組みは、昨年11月18日に行われた当社グループの事例発表会で金賞（優勝）をいただきました。今ではグループの他のホームにも広がりつつあります。

また、現在ラジオ体操を含めたホームの様子をホームページ上で1日7〜8件のページで発信しています。それをご覧になり「このコロナ禍のなか、ここまで入居者が活動的なことはすばらしい」と、他ホームから転居してきた方が3人いらっしゃいました。

建物外観／土地・建物：賃

専門スタッフが考案した
アクティビティを365日実施

大阪市エリア

グッドタイム リビング 大阪ベイ (➡ p.94)

ご利用者さまは「お客さま」ではなく「ゲスト」

当社では、ご入居者さまを「ゲスト」、ホームを「ゲストハウス」、介護スタッフを「ケアアテンダント」と呼びます。ホテルや飲食店のような「一時的な関係」ではなく、最期まで何年間にもわたり「日常的に」「尊厳を保って」「献身的に」関わっていこうという思いが込められています。

アクティビティは365日実施しています。サービススタッフと呼ばれる専門のスタッフがおり、質が高く、飽きがこないアクティビティを提供できるのが強みです。例えば、昨年はコロナで外出が難しいなか、旅行気分を味わっていただければとバーチャル・リアリティで、ダイビングと花火大会を体験してもらいました。これは近くのゲストハウス

レストラン

ガーデンテラス

ライブラリーコーナー

クラブサロン

と共同企画したもので、皆さん大いに驚き、感動していました。今後も桜や紅葉等四季折々の風景を楽しんでもらいます。

月に2回実施の「なだ万」等一流店の弁当を楽しむ食事会（別途費用が必要）は大阪ベイが初めて実施し、今ではほかのゲストハウスにも広がった人気企画です。逆にほかのゲストハウスで好評だった企画「1万5000円のフルコースディナー」の導入も検討する等、ゲストに楽しんでいただくための努力は日々欠かしません。

食事メニュー名にもこだわり

食事にもこだわっています。外部委託ながら、「似たメニューが続いていないか」「副菜は主菜に合ったものか」「料理名は高齢者でも分かりやすいか」等をチェックして要望を伝え、日々改善を図っています。週1回は「イタリアン」「中華」等のフェアも行います。

弁天町駅直結でアクセス抜群

弁天町駅に直結しており、大阪駅、本町駅、天王寺駅等に直通という抜群のアクセスが自慢です。自立の方も入居可能ですので、ここから仕事に通う方もおり、多くの方が買い物、旅行、観劇等に外出しています。また同じビル内に医療モール、道路の向かいにはスーパーマーケットに病院と、生活に必要な施設には事欠きません。もちろん、介護が必要な方が安心して過ごせる介護・医療体制も整えています。

リハビリと看取り。職員の笑顔。シニアスタイル武庫之荘の想い

阪神エリア

シニアスタイル武庫之荘 （➡ p.116）

シニアスタイルの願い

「その人がその人らしい暮らしの実現を目指す」。運営するホームにご入居いただく方、そしてスタッフ。当社に関わる方全員に想う願いです。この世に「生」を受けた瞬間から人は終末期に向かって歩みだします。それを人生といいます。それぞれに「人生」という荒波にもまれ、怒りや悲しみを経験され、それらを乗り越え笑顔になり、時を刻み今があります。

人の数だけ歴史があり、考え方も違えば思考や容姿も違います。想いを知り、受け止め、贈る……人として、本来のあるべき姿。それを実践できる企業でありたいと考えています。

リハビリと看取りへのこだわり

だからこそ、当社はリハビリと

看取りにこだわります。当ホームにも理学療法士、作業療法士が常駐。定期的に訪問する言語聴覚士を加えたリハビリの専門家が週3回、1回30分の個別リハビリを実施。「楽しんでいただくリハビリ」をモットーに、ADLの維持、転倒予防や拘縮予防に努めています。元気な状態で当ホームでできるだけ永く暮らしていただくにはリハビリが最も大切であるととらえています。

もちろん、どんな人にも必ず終末期がやってきます。当ホームを「終の棲家」として選んでいただいた方にホームで終末期を迎えてもらう。そのために、在宅医療の経験の多いクリニックと連携、8時から20時までの看護職員による経管栄養対応等の医療提供を実施。看護職員と連携した介護職員によるお世話によって看取りを行っています。

いつも笑顔を忘れない職員

当ホームのもう一つの特長が「笑顔での対応」です。ご入居者さまに対しては、あえて「さま」ではなく「さん」で接しています。ホームに対し心を開いてもらい安心して過ごしていただくための試みです。それにより職員も常に笑顔で接することができ、また、職員間の関係も良くなります。介護の仕事は実は創造的で、「笑顔に溢れた仕事」であり、「専門職として長くできる仕事」です。当社の職員はそれを念頭におき、日々ご入居者さまと向き合っています。

ペット飼育が可能
女性目線のアクティビティも充実

阪神エリア

チャームスイート 仁川 (➡ p.123)

最上級ブランド
「プレミア」並みのハード・ソフト

当社の最上級ブランド「プレミア」の名前こそ付いていませんが、建物のグレードやサービス面等多くの部分で、限りなくプレミアに近いレベルを満たし、特に女性に評判のホームです。関西エリア唯一のプレミアブランド「チャームプレミア 御影」勤務のコンシェルジュが定期的に訪問してスタッフの接遇マナーや身だしなみ、館内の清掃・整理整頓等についての研修や指導を行っています。メディアに登場する機会も多く、当社内でも最も人気のあるホームの一つです。

有名店よりスイーツ取り寄せ

立ち上げの責任者が女性だったこともあり、ホームの各所に生花が飾られる等、優しく華やかな

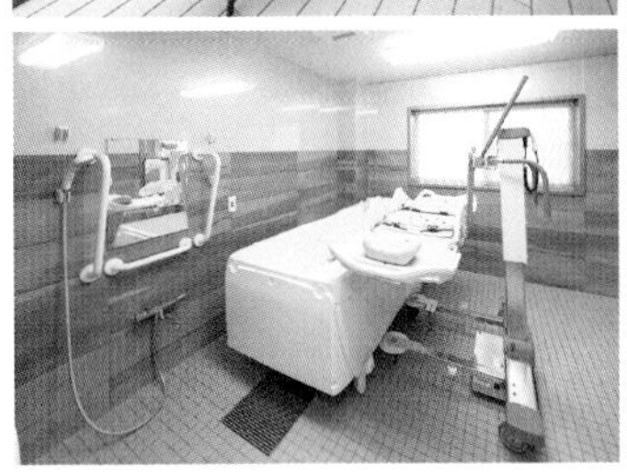

雰囲気がご利用者さま、ご来館者さまから好評をいただいています。アクティビティにも、ヨガ、アロマ、ネイルケア、生花を使ったフラワーアレンジメント、有名店のお取り寄せスイーツ等、女性を意識したものが多く行われており、たいへんご満足いただいています。アクティビティは１日２回、多いときは３回実施。体操等身体を動かすものは毎日必ず、それ以外は学びや芸術等のカルチャー系というのが基本メニューとなっており、外部のプロやセミプロの講師を招いた質の高いプログラムを実施しています。

食事に関しての評判も非常に高いものです。素材一つひとつにこだわり、見た目を意識し盛り付けも工夫しています。

庭の手入れは
ご利用者さまもお手伝い

ハード面では、ペット飼育可能な部屋が2つあるのが特長で、これは当社ホームのなかでも唯一の取り組みです。部屋の外にはペット用に足洗い場も設置されています。

庭の広さは当社ホームのなかでも最大です。紅葉等四季折々の風景が楽しめますが、特にアジサイの季節はすばらしく、雨が多い憂鬱な時期でもご利用者さまの心を癒してくれます。手入れは園芸の学校を卒業した介護スタッフがほぼ毎日行い、時にはご利用者さまにお手伝いをいただくこともあります。館内で森林浴や日光浴を楽しむことができる広い中庭の存在は、車椅子や重度の方にとても評判です。

神戸市エリア

ドマーニ神戸 （➡ p.126）

日々の楽しみを後押し

ドマーニ神戸の最大の魅力は、お元気なうちに入居するからこそ実感できます。

全戸南向きのお部屋は、約35㎡～104㎡と幅広いタイプから、ご自身に合ったライフスタイルを選択できます。共用部には大浴場をはじめ、AV ルーム、アトリエ、ビリヤード・ダーツルーム、お茶のお稽古も楽しめる和室等、アクティビティや個人の趣味活動等に用いられており、卓球、俳句、茶道といった同好会やサークルのなかには、ご入居者さま自身が立ち上げ、運営するものもあります。また、ドマーニホールでは朝の健康体操（介護予防体操）が人気です。

介護も充実　安心を提供

お元気なうちに入居され、必

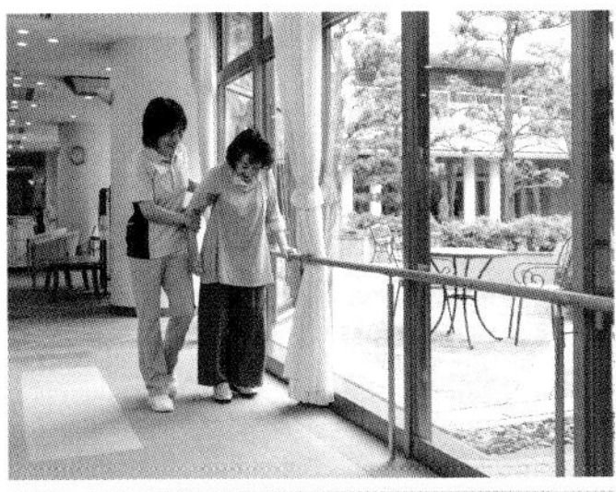

要に応じて介護居室に移る、という暮らし方が基本ですが、直接介護居室に入居いただくことも可能です。職員数は法定基準の2倍（1.5 対 1 以上）の配置、さらに看護師は 24 時間常駐し、夜間でも 2 人体制を確保しています。理学療法士等のリハビリスタッフも常駐。介護保険を利用した個別リハビリにも対応しています。さらに、クリニックがテナントとして入っており、医療ニーズの高い方も安心して生活いただける大きな要因となっています。他の高齢者住宅では対応が難しい方も、看護・介護とクリニック医師の連携により受け入れ可能なことが、ホーム入居への安心につながっています。

　また、認知症ケアにも力を入れてきました。ケアセンター3階を認知症対応フロアとし、壁面には懐かしい日本の原風景を描いたり、足踏みミシンやかまど、柱時計等を配置した、回想療法も取り入れています。

1995 年開設以来のご入居者さまも

　人生 100 年時代といわれる昨今、1995 年の開設以来入居されている方も多くいらっしゃいます。いつ介護が必要な状態になっても、安心の医療・介護支援体制が整っている生活環境はもとより、住友林業グループだからこその住宅メーカーのノウハウを用い、木質部材を取り入れた内装を採用する等、住み心地にこだわった住空間も好評を得て、長期にわたる高い人気を保っています。

「持ち上げない介護」で職員も入居者も安全

神戸市エリア

フォレスト垂水 壱番館 （➡ p.127）

「ホーム内で看取る」が基本姿勢

文字どおり「終の棲家」となるホームです。2005年開設の要介護者向け「壱番館」と2012年オープンの自立者向け「弐番館」からなりますが、弐番館のご入居者さまで介護が必要になった場合には壱番館へ転居できますし、同じ敷地内にある自社運営の訪問介護、看護サービス、そして壱番館内のデイサービスも利用できます。また、壱番館内には在宅療養支援診療所「おひさまクリニック」があり、訪問診療が受けられます。壱番館は1.5対1という手厚い人員配置。また、看護師が日中は2～4人、夜間は1人常駐しており、胃瘻や透析等の医療的対応が必要な方の受け入れが可能です。年間で平均20人ほどの方が亡くなりますが、開設当初からホーム内での

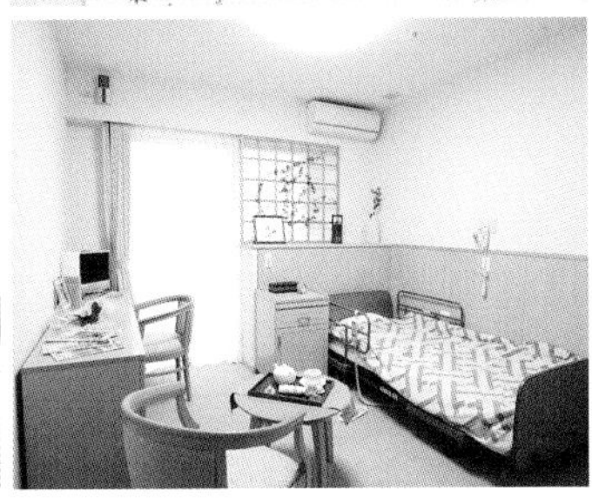

看取りを基本としています。

業界団体のコンテストで最優秀賞

スタッフがご入居者さまを抱えて持ち上げない「ノーリフティングケア」を実践しています。抱え上げる介助は、ご入居者さまが痛みを感じる可能性があるだけでなく、スタッフの腰痛の原因になりますし、転倒事故の危険性もあります。このノーリフティングケアの実践や、「移動式リフト等の機器・用具を正しく利用できる」「それをほかのスタッフに正しく伝えることができる」等の習熟度に合わせてスタッフが制服の袖に星を付けていく取り組みは、高齢者住宅経営者連絡協議会という業界団体が主催する、優れた高齢者住宅を選出・表彰するコンテスト「リビング・オブ・ザ・イヤー」で、2016 年の「職員教育研修部門 最優秀賞」を受賞しています。

モットーは「Always Smile」

スタッフの接遇・マナーでも質を追求しています。ホームのモットーは「Always Smile」で、いつでもご入居者さまに安らぎを与えられる笑顔で接することができるよう、毎朝スタッフが互いに笑顔チェックを行っています。一方で高級ホテルやデパートのような接遇は堅苦しい印象になりがちですので、スタッフは常に親しみやすい言葉遣いを意識しています。

エリア別でみる

三ツ星 90 選
一挙大公開

施設紹介ページの見方

施設名　施設住所　入居対象者　その他 P8 参照

施設種別 P8 参照

室数

付与された星の数

エリア

エリアに該当する市区町名

★★★

北河内

枚方／交野／四條畷／寝屋川／大東／門真／守口

有 エイジフリー・ライフ星が丘

大阪府枚方市印田町 9-60

全54室

【アクセス】京阪電鉄交野線「星ヶ丘」駅より徒歩約 7 分
【運営会社】パナソニック エイジフリー株式会社
【利用料金】多様な料金制度のため詳細は同社 HP にてご確認ください

看護師の 24 時間常駐に加え、複数の医療機関との連携があるため医療対応力や看取り能力も高い。作業療法士 2 名を配置し、リハビリ力が高く重度の方でも安心して入居可能。高級感のあるハードは、同時に癒しの空間も意識しており、家庭的な温かさを感じられる。重度でもゆったりと生涯を過ごしたい人に最適のホーム。

▼ハード面の充実

居室の広さ	共用施設の充実	グループケアの実施	浴室環境の充実
○	◎	◎	◎

▼ソフト面の充実

手厚い人員配置	契約上は要介護者 1.5 名に対し直接処遇職員 1 名配置だが、実際はそれ以上を配置。
職員定着率が高い	昨年度の離職率は 10% 程度と低めであり、スタッフの定着率が高い。
医療対応力	24 時間看護師常駐なので医療依存度の高い方でも安心。
介護福祉士率	介護職員に占める介護福祉士取得者率は 70% 弱。スタッフのスキルが高い。若手からベテランまで幅広い。
夜間職員の配置	夜間 5 人体制（看護師 1 名を含む）で充実。
リハビリ力	専属の作業療法士を 2 名配置。
看取り能力	24 時間看護師常駐。昨年の看取り数は 9 名。

▼相談員の評価

職員の接遇態度の良さ	スタッフの接遇教育に注力しており、老人ホーム専門家・日本シニア在宅相談員による投票が満票に近い。
ホーム長の受け入れに対する積極性	医療対応力や認知症対応力が高いため、ホーム長は積極的に重度の人を受け入れている。
認知症対応力	ユニットケアの実施により認知症対応力が高い。
アクティビティ活動の充実	レク、リハビリ、散歩等日々のアクティビティ活動や季節の行事イベントが充実。
居心地の良さ	サービス品質に関して国際規格 ISO を取得する等、入居者の満足度向上に取り組んでいる。

※ 2018 年 7 月 1 日の重要事項説明書等によるデータ

52

アクセス 公共交通機関を利用した場合

運営会社 ホームを運営する事業者名

利用料金 入居金や月額利用料の一例等

施設の総評 星の付与につながった特長をもとに
介護の三ツ星コンシェルジュ編集部が記載

ハード面の充実（※該当しないところはいずれもマークなし）

居室の広さ

要介護高齢者対象の場合
◎：全室20㎡以上　○：全室18㎡以上
自立入居者対象の場合
◎：全室40㎡以上（自立居室）全室20㎡以上（介護居室）
○：全室30㎡以上（自立居室）全室18㎡以上（介護居室）

共用施設の充実

◎：建物床面積における共用施設の割合がたいへん広い
○：建物床面積における共用施設の割合が広い

グループケアの実施

◎：ユニットケアを実施　○：フロアケアを実施

浴室環境の充実

◎：十分な入浴環境を整えている
○：入浴環境を整えている

ソフト面の充実 介護の三ツ星コンシェルジュ編集部が
重要事項説明書等によるデータに基づき記載
（ハード面の充実も同じ）

相談員の評価 一般社団法人 日本シニア住宅相談員協会の調査による
職員の接遇態度の良さやアクティビティ活動の充実等
の特筆すべきポイント

本書の介護用語解説

★介護浴室

要介護状態になった方でも安全に入浴できるような器具を備えた浴室。移動式のリフトやチェアを備えた中間浴室、ストレッチャーや車椅子のまま利用できる機械浴室がある。

★直接処遇職員

要介護者のお世話（介護・医療）に従事しているスタッフ。介護スタッフと看護スタッフを指す。

★オンコール体制

入居者の健康状態が急変したときに、ホーム看護師が勤務時間外でも対応できるよう待機していること。

★ユニットケア（フロアケア）

ホームにおいて、他の入居者とグループ単位で共同生活を送ること。スタッフと入居者同士が顔なじみの関係になり入居者に安心感が生まれるため、認知症高齢者の介護に適している。

★夜間職員配置

ホームは夜間の緊急搬送等に備え、複数のスタッフ配置が必要。3人以上なら1人が救急車に同乗した場合でも、2人が残るので安心。さらに医療知識のある看護師がいると、医師へのスムーズな連絡に加え、医師の指示に基づく適切な医療措置ができる。

★ADL

Activities of daily living（日常生活動作）の略。高齢者や障害者の身体能力や日常生活レベルを測る指標。

★混合型有料老人ホーム

自立から要介護の方まで受け入れるホーム。本書では、主に自立の方を受け入れ、要介護状態になっても住み続けることができるホームを指す。

★ICT活用

情報通信技術を活用したホーム。代表的なものとして離床センサー等の見守り機器やスタッフ同士の連携にインカム等を活用しているホーム等。

★看取り能力

本書では24時間看護師を配置しているホームのほか、年間6人以上の看取りを実施しているホームを「看取り能力あり」としている。「看取り能力が高い」とは、本人や家族の希望により看取り時に医療行為が不要であると承諾を得た場合、病院に入院せず、住居であるホーム居室で最期まで過ごせる可能性が高いことを指す。

★離職率

一般的に、ホームでは年間離職率が20%より低ければ良好とされる。

★人員配置

要介護入居者1名に対し、何名の直接処遇職員を雇用しているかを示す目安。例えば2：1は要介護者2名に対し、常勤換算（そのホームの常勤スタッフの勤務時間：一般的に168時間／月程度）で直接処遇職員1名を現場に配置していることを指す。

★理学療法士、作業療法士、言語聴覚士

ホームの入居者にリハビリを提供する国家資格保持者。理学療法士は主に運動系、作業療法士は主に手足を使った作業系、言語聴覚士は言語や聴覚、摂食・嚥下等のリハビリを行う。

★柔道整復師

業として柔道整復ができる国家資格保持者。ホームでは主にマッサージを担当。

★介護福祉士

看護師以外で介護を提供するスタッフのうち、唯一の国家資格保持者。ホームにいる介護職員は無資格者、介護職員初任者研修修了者、介護福祉士実務者研修修了者、介護福祉士に分けられ、介護福祉士の資格取得は最も難しいとされる。

★介護福祉士率

介護福祉士率が高いホームは、介護に関するスキルが高いスタッフが多くいることを示す。

★管理栄養士

専門的な知識と技術をもって栄養管理や給食管理、栄養管理を行う国家資格保持者。ホームでは日々の食事の給食管理、栄養管理を行うほか、入居者の栄養指導をする。

北河内

枚方／交野／四條畷／寝屋川／大東／門真／守口

有 エイジフリー・ライフ星が丘

大阪府枚方市印田町 9-60

全54室

【アクセス】京阪電鉄交野線「星ヶ丘」駅より徒歩約 7 分
【運営会社】パナソニック エイジフリー株式会社
【利用料金】多様な料金制度のため詳細は同社 HP にてご確認ください

看護師の 24 時間常駐に加え、複数の医療機関との連携があるため医療対応力や看取り能力も高い。作業療法士 2 名を配置し、リハビリ力が高く重度の方でも安心して入居可能。高級感のあるハードは、同時に癒しの空間も意識しており、家庭的な温かさを感じられる。重度でもゆったりと生涯を過ごしたい人に最適のホーム。

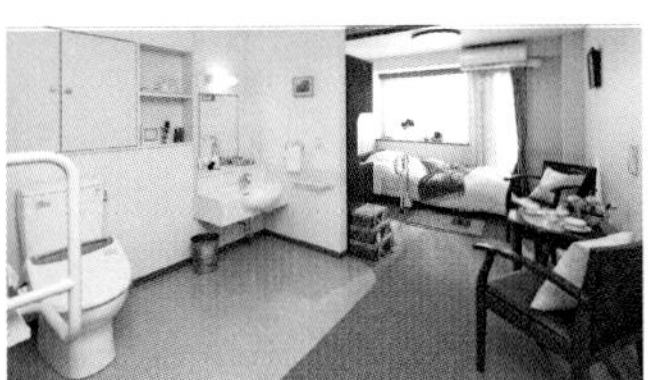

▼ ハード面の充実

居室の広さ	共用施設の充実	グループケアの実施	浴室環境の充実
○	◎	◎	◎

▼ ソフト面の充実

手厚い人員配置	契約上は要介護者 1.5 名に対し直接処遇職員 1 名配置だが、実際はそれ以上を配置。
職員定着率が高い	昨年度の離職率は10%程度と低めであり、スタッフの定着率が高い。
医療対応力	24 時間看護師常駐なので医療依存度の高い方でも安心。
介護福祉士率	介護職員に占める介護福祉士取得者率は 70% 弱。スタッフのスキルが高い。若手からベテランまで幅広い。
夜間職員の配置	夜間 5 人体制（看護師 1 名を含む）で充実。
リハビリ力	専属の作業療法士を 2 名配置。
看取り能力	24 時間看護師常駐。昨年の看取り数は 9 名。

▼ 相談員の評価

職員の接遇態度の良さ	スタッフの接遇教育に注力しており、老人ホーム専門家・日本シニア在宅相談員による投票が満票に近い。
ホーム長の受け入れに対する積極性	医療対応力や認知症対応力が高いため、ホーム長は積極的に重度の人を受け入れている。
認知症対応力	ユニットケアの実施により認知症対応力が高い。
アクティビティ活動の充実	レク、リハビリ、散歩等日々のアクティビティ活動や季節の行事イベントが充実。
居心地の良さ	サービス品質に関して国際規格 ISO を取得する等、入居者の満足度向上に取り組んでいる。

※ 2018 年 7 月 1 日の重要事項説明書等によるデータ

㊒ グッドタイム リビング 香里ヶ丘 －けやき通り－

全98室

大阪府枚方市香里ケ丘 3-8-52

【アクセス】京阪電鉄本線「枚方市」駅より京阪バス「藤田川」下車、徒歩約 2 分
【運営会社】グッドタイムリビング株式会社
【利用料金】多様な料金制度のため詳細は同社 HP にてご確認ください

高級感のある建物や館内の調度品が心地の良い空間をつくりだしている。特に 1 階共用エリアには多くの入居者が集い、憩いの場となっている。スタッフの接遇態度も良く、ホーム全体に温かい雰囲気がある。日々複数回行われるアクティビティ活動は、入居者本人が体調に合わせて参加するかどうかを決定。軽度の方にお勧めだが、看取り能力が高いので重度の方でも受け入れが可能。

▼ハード面の充実

居室の広さ	共用施設の充実	グループケアの実施	浴室環境の充実
○	◎		◎

▼ソフト面の充実

介護福祉士率	介護職員に占める介護福祉士取得者率が 70% 弱であり、スキルの高いスタッフが多い。経験 5 年以上のベテランスタッフが多い。
夜間職員の配置	夜間 5 人体制で充実。
看取り能力	看護師は日中配置だが、介護職員と連携し看取りを実施している。昨年の看取り数は 26 名。
情報発信力	施設のブログは頻繁に更新しており、情報発信に力を入れている。

▼相談員の評価

職員の接遇態度の良さ	同社は職員に対する接遇教育にたいへん力を入れている。
ホーム長の受け入れに対する積極性	系列施設のなかでもホーム長の受け入れへの積極性が特に評判。
アクティビティ活動の充実	運動、園芸、文化、美容等さまざまなアクティビティ活動を行う。季節や月次の行事イベントも多彩。
居心地の良さ	入居者をゲストと呼ぶ等接遇態度の良さと、高級感のあるハードが居心地の良い空間をつくりだしている。

※ 2018 年 7 月 1 日の重要事項説明書等によるデータ

有 はなまる香里園

大阪府枚方市香里園山之手町 23-30

全79室

【アクセス】京阪電鉄本線「香里園」駅より徒歩約 17 分
【運営会社】有限会社はなまる
【利用料金】入居一時金 0 円、月額利用料 194,397 円～ 216,897 円

専属のレクリエーションスタッフによるアクティビティ活動の充実が自慢のホーム。例えば料理レク等は「包丁は危険だから触らせないではなく、どうしたら安全に料理に取り組んでいただけるかを考えて実施している」とホーム長。入居者と家族の思いを大切にした「看取り」に取り組んでいるのも同ホームの大きな特長。家族、入居者、スタッフ、専門家を交え早い段階から看取りの協議に入っているそう。理学療法士、柔道整復師によるリハビリも魅力。

▼ ハード面の充実

居室の広さ	共用施設の充実	グループケアの実施	浴室環境の充実
○		○	◎

▼ ソフト面の充実

介護福祉士率	介護職員に占める介護福祉士取得者率が 50％以上とスキルの高いスタッフが多い。
リハビリ力	専属の理学療法士と柔道整復師を 1 名ずつ配置。運動、ストレッチ等入居者が身体を動かす機会を増やすよう工夫している。
夜間職員の配置	夜間 4 人体制。
看取り能力	昨年度は 12 名の看取りを実施。看護職員、介護職員がうまく連携し「チームケア」で看取りに取り組んでいる。
情報発信力	施設のブログは頻繁に更新しており、情報発信に力を入れている。

▼ 相談員の評価

アクティビティ活動の充実	レクリエーション専属スタッフが月に約 3 回季節感のあるイベントを開催。映画上映会、歌会等日々の活動も充実している。

※ 2018 年 9 月 1 日の重要事項説明書等によるデータ

有 SOMPOケア そんぽの家 交野駅前

全49室

大阪府交野市私部 2-5-2

【アクセス】京阪電鉄交野線「交野市」駅より徒歩約 3 分
【運営会社】ＳＯＭＰＯケア株式会社
【利用料金】〈月払いプラン〉前払金 0 円、月額利用料 180,750 円（税込）

「自立支援」と「自分らしさ」を大切に、サービス提供を心掛けているホーム。それぞれの職種が一つのチームになり、入居者の状態を共有するチームケアを実施。多職種間の連携が強いからか、スタッフ定着率や看取り能力の高さにもつながっている。書道、手芸、散歩、買い物等毎日なんらかのレクリエーションや行事活動を行っており、アクティビティの充実ぶりも高く評価されている。認知症の方にお勧めのホーム。

▼ ハード面の充実

居室の広さ	共用施設の充実	グループケアの実施	浴室環境の充実
		○	

▼ ソフト面の充実

手厚い人員配置	契約上は要介護者 3 名に対し直接処遇職員 1 人配置だが、実際はそれ以上を配置。
職員定着率が高い	昨年度の離職率は 15%程度であり、スタッフの定着率が高い。
介護福祉士率	介護職員に占める介護福祉士取得者率は 50% を超えており、スキルの高いスタッフがそろう。
看取り能力	看護師は日中配置だが、介護スタッフと連携し、昨年度の看取りは 10 名を数える。
情報発信力	施設のブログは頻繁に更新しており、情報発信に力を入れている。

▼ 相談員の評価

アクティビティ活動の充実	レクリエーションや行事に力を入れており、毎日なんらかの活動を実施している。

※ 2020 年 7 月 1 日の重要事項説明書等によるデータ

有 チャーム四條畷

大阪府四條畷市西中野 1-2-18

全60室

【アクセス】JR 学研都市線「四条畷」駅より徒歩約 20 分
【運営会社】株式会社チャーム・ケア・コーポレーション
【利用料金】前払金 0 円、月額利用料 203,340 円

木の温かみを感じられる木造 2 階建てのホーム。エントランスに配置された広々とした喫茶コーナーが魅力。敷地内にある農園では、入居者とスタッフが協力して四季折々の野菜を育てる等、入居者とスタッフのコミュニケーションも密に取れている。居心地の良さが評判で、軽度で活動的なシニアにお勧めのホーム。手厚い人員配置により看取り能力の高さも評判。

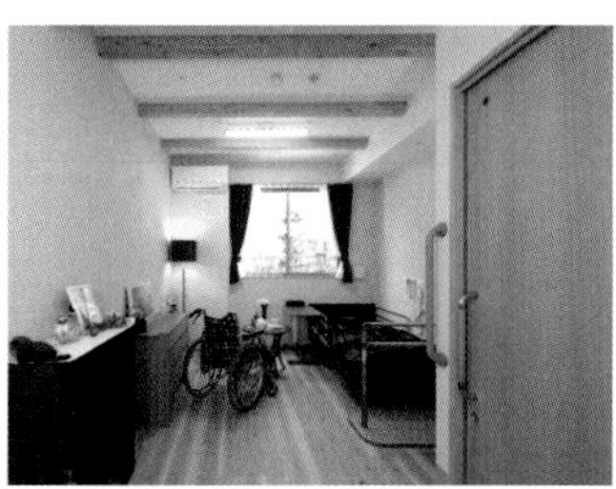

▼ ハード面の充実

居室の広さ	共用施設の充実	グループケアの実施	浴室環境の充実
○		◎	◎

▼ ソフト面の充実

手厚い人員配置	契約上は要介護者 2.5 人に対し 1 人の直接処遇職員配置だが、実際はそれ以上を配置。
夜間職員の配置	夜間は各ユニットに介護職員を配置。計 3 人体制で対応。
看取り能力	看護師は日中のみの配置だが昨年は 6 名の看取りを実施。

▼ 相談員の評価

居心地の良さ	木造の温かな空間と広々とした共用施設が居心地の良さを演出。

※ 2019 年 7 月 1 日の重要事項説明書等によるデータ

有 ぽぷら

大阪府寝屋川市三井が丘 1-13-1

全84室

【アクセス】京阪電鉄本線「香里園」駅より京阪バス「三井団地」下車、徒歩約3分
【運営会社】株式会社ぽぷら
【利用料金】入居一時金 0 円、月額利用料 189,740 円

充実した多彩なアクティビティ活動が大きな特長となっている。理学療法士による集団リハビリをはじめ、介護スタッフによる脳トレや運動等を通じて、身体を動かし頭を使うことの効果は、ADL の維持・改善につながっている。地元ボランティアとの交流も盛んで、ボランティアによるレクリエーション活動や外食・買い物ツアー等も頻繁に実施。地元食材を活用した食事の評判も良い。

▼ ハード面の充実

居室の広さ	共用施設の充実	グループケアの実施	浴室環境の充実
○		○	○

▼ ソフト面の充実

食事の評判の良さ	医食同源の考えのもと、米と果物（いちご）を隣接する南農園から直接仕入れる等食事に力を入れている。
手厚い人員配置	契約上は要介護者 3 人に対し直接処遇職員 1 人配置だが、実際はそれ以上を配置。
職員定着率が高い	昨年度の離職率は 15% と低く、職員の定着率が高い。
介護福祉士率	介護職員に占める介護福祉士取得者率が 70% 超えとスキルの高いスタッフが多い。
リハビリ力	専属の理学療法士を配置。集団リハによって、入居者が身体を動かす機会を頻繁につくり ADL の向上を図っている。
夜間職員の配置	最少時でも夜間 4 人体制。
看取り能力	必要時には看護師が 24 時間常駐し介護職員と連携して看取りに対応。昨年は 13 名の看取りを実施。

▼ 相談員の評価

職員の接遇態度の良さ	アットホームな雰囲気を出せるようスタッフの接遇教育に注力。スタッフと入居者が良い関係を築いている。
ホーム長の受け入れに対する積極性	ホーム長の受け入れへの積極性が評判。医療依存度の高い方から重度の方まで丁寧に相談に乗ってくれる。
認知症対応力	スタッフと入居者が良好な関係を築いており、各入居者の状態を把握。
アクティビティ活動の充実	地域との関係を重視し、ボランティアと協力したアクティビティ活動が充実。
居心地の良さ	アットホームな雰囲気が評判のホーム。

※ 2019 年 7 月 1 日の重要事項説明書等によるデータ

有 サンセール香里園

大阪府寝屋川市香里西之町 22-7

全102室

【アクセス】京阪電鉄本線「香里園」駅より徒歩約 15 分
【運営会社】パナソニック エイジフリー株式会社
【利用料金】多様な料金制度のため詳細は同社 HP にてご確認ください

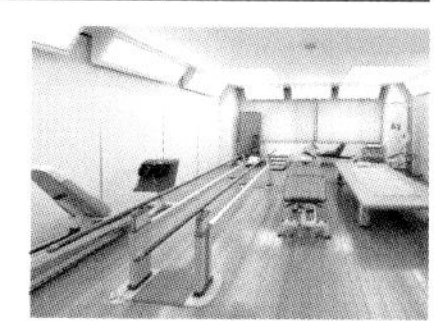

都心にありながら敷地内にある「癒しの庭」は評判が良い。アクティビティ担当スタッフ１人を専属で配置し、園芸や散歩レクのほか、「ケーキバイキング」や「天ぷらバイキング」等のイベントが目白押し。リハビリも加え、日々のスケジュールが充実しており退屈することなくホームでの生活を送れる。ユニットケアを導入しており認知症対応力も高い。看取り能力も高く、安心して生涯住み続けられるホーム。

▼ ハード面の充実

居室の広さ	共用施設の充実	グループケアの実施	浴室環境の充実
	◎	◎	◎

▼ ソフト面の充実

手厚い人員配置	契約上は要介護者 1.5 人に対し直接処遇職員 1 人配置だが、実際はそれ以上を配置。
医療対応力	24 時間看護師常駐なので医療依存度の高い方でも対応が可能。
職員定着率が高い	昨年度の離職率は 1 割以下と低く、職員の定着率が高い。
介護福祉士率	介護職員に占める介護福祉士取得者率が 50% 超えとスキルの高いスタッフが多い。
リハビリ力	専属の理学療法士と作業療法士を配置。個別リハビリのほかに、生活リハビリや居室リハビリも行っている。
夜間職員の配置	大規模施設のため夜間は看護師も含め 7 人体制と充実。
看取り能力	24 時間常駐の看護師に加え、介護職員と連携し看取りを実施。昨年は 17 名の看取り。

▼ 相談員の評価

職員の接遇態度の良さ	スタッフの接遇教育に注力しており、老人ホームの専門家・日本シニア住宅相談員による投票が満票に近い。
ホーム長の受け入れに対する積極性	医療対応力が高く、認知症対応力が高いこともあってか、ホーム長は重度の方でも積極的に受け入れている。
認知症対応力	ユニットケアの実施により入居者一人ひとりの状態を把握。認知症対応力の高さに定評がある。
アクティビティ活動の充実	アクティビティに力を入れており、専属スタッフによる「癒しの庭」を活かした園芸活動等イベントが評判のホーム。
居心地の良さ	都心にありながら自然環境豊かなホーム環境。

※ 2019 年 7 月 1 日の重要事項説明書等によるデータ

有 ツクイ・サンシャイン大東

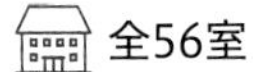

大阪府大東市南津の辺町 18-11

全56室

【アクセス】JR 学研都市線「野崎」駅より徒歩約 4 分
【運営会社】株式会社ツクイ
【利用料金】〈前払い金 900 万円プランの場合〉前払金 900 万円、月額利用料 200,200 円

職員を大切にする会社。職員教育に力を入れており、質の良いスタッフが多く、離職率も低い。介護職員が介護サービスに専念できるよう清掃・洗濯等周辺サービスを担当するスタッフを別途雇用。これにより、介護職員が介護サービスで入居者に接する時間を多く確保している。入居者の楽しみである食事サービス、アクティビティ活動に力を入れている。食事はセントラルキッチンで調理した食材をホームで入居者の状況に合わせ味付け、やわらかさ、盛り付け等を工夫し提供。リハビリ力や看取り能力も高い。

▼ ハード面の充実

居室の広さ	共用施設の充実	グループケアの実施	浴室環境の充実
○		○	◎

▼ ソフト面の充実

食事の評判の良さ	五感で楽しめる栄養バランスの取れた食事を提供。入居者毎に味付け、やわらかさ、盛り付け等の工夫をしている。
手厚い人員配置	契約上は要介護者 2.5 人に対し直接処遇職員 1 人配置だが、実際はそれ以上を配置。
職員定着率が高い	昨年度の離職率は 10% 未満。介護職が介護に専念できるよう、清掃・洗濯等周辺サービスのためのスタッフを雇用。
介護福祉士率	介護職員に占める介護福祉士取得者率が 50% 超。スキルの高いスタッフが多い。
リハビリ力	専属の理学療法士と言語聴覚士を配置。個別リハ・集団リハ等リハビリプログラムが充実。
看取り能力	看護師は日中のみの配置だが昨年は 9 名の看取りを実施。

▼ 相談員の評価

ホーム長の受け入れに対する積極性	困難事例でもなんとか受け入れようと検討するホーム長の積極性は評判。
アクティビティ活動の充実	レク委員会を設置。介護・看護・リハビリ等のスタッフ間で協議し提供するアクティビティメニューは評判が高い。

※ 2019 年 7 月 1 日の重要事項説明書等によるデータ

㊒ アーバニティ若水

大阪府大東市末広町 15-25

全84室

【アクセス】JR 学研都市線「住道」駅より徒歩約 2 分
【運営会社】株式会社アイネットケアサービス
【利用料金】入居一時金 850 万円～（83 歳以上：年齢により価格差有)、月額利用料 228,500 円

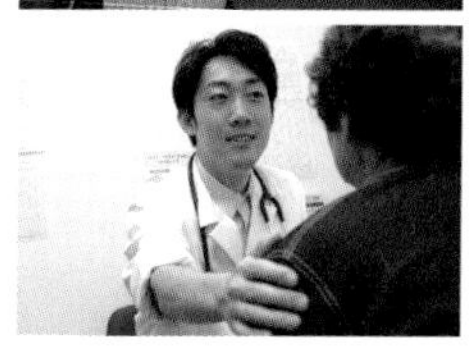

有床診療所を運営する近接の医療法人恵和会の系列ホーム。24 時間常駐の看護職員と診療所医師の密接な連携により医療対応力、看取り能力が高く評価されている。余命宣告 3 カ月で入居した末期がんの入居者が家庭的かつ規則的な生活によってかなりの余命を延ばす例等もあった。個別リハビリ、マッサージ等リハビリも充実。専属の管理栄養士が監修する食事も評判が良い。介護・看護スタッフは定着率が高く、接遇教育も行き届いておりサービス品質の高さが評価される。

▼ ハード面の充実

居室の広さ	共用施設の充実	グループケアの実施	浴室環境の充実
○		○	◎

▼ ソフト面の充実

食事の評判の良さ	健康維持、病気予防のために、専属の管理栄養士監修による栄養バランスの取れた食事を提供。
手厚い人員配置	契約上は要介護者 2.5 人に対し直接処遇職員 1 人配置だが、実際はそれ以上を配置。
職員定着率が高い	昨年度の離職率は 10% 未満と低く、職員の定着率が高い。
介護福祉士率	介護職員に占める介護福祉士取得者率が 50% 超えとスキルの高いスタッフが多い。
医療対応力	24 時間看護師配置。系列の診療所のバックアップ体制も整っており、医療依存度が高くなっても入居継続が可能。
リハビリ力	専属の理学療法士と柔道整復師が在籍。週 5 回以上のリハビリプログラムを用意しマッサージも受けられる。
夜間職員の配置	夜間も 4 人体制。
看取り能力	24時間看護師配置と系列の医療機関との連携により看取り能力が高い。

▼ 相談員の評価

職員の接遇態度の良さ	職員への接遇教育が行き届いており接遇態度の良さが評判。
ホーム長の受け入れに対する積極性	医療対応力が高く重度要介護者でも積極的に受け入れる姿勢が評判。
居心地の良さ	ソフト面、ハード面とも評判が高い。

※ 2020 年 7 月の重要事項説明書等によるデータ

有 クオレ門真

大阪府門真市南野口町 10-8

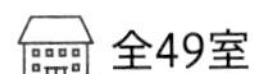

全49室

【アクセス】京阪電鉄本線「大和田」駅より徒歩約 20 分
【運営会社】株式会社クオレ
【利用料金】入居一時金 0 円、月額利用料 153,340 円

開設以来変わらないホーム長を筆頭に、スタッフの定着率も高いことが評判のホーム。結果的にスタッフ全員が入居者の状況を把握しているため、より良いサービスが提供可能。看護師全員がオンコール体制を取り、医師、介護職員と連携して看取りを実施することで看取り能力がたいへん高い。ホーム長の受け入れへの積極性、職員の接遇能力、認知症対応力、居心地の良さに代表されるソフト面の評価は抜群。同社はグループ全体で食事に力を入れていることも魅力。入居一時金等の前払い金がなく、低価格なため人気の高いホーム。

▼ ハード面の充実

居室の広さ	共用施設の充実	グループケアの実施	浴室環境の充実
		○	◎

▼ ソフト面の充実

食事の評判の良さ	経営者が要介護高齢者にとっての食事の大切さを理解しており、完食できるよう味付け等も工夫している。
手厚い人員配置	契約上は要介護者 3 人に対し直接処遇職員 1 人配置だが、実際はそれ以上を配置。
職員定着率が高い	昨年度の離職率は 10% 程度と低く、職員の定着率が高い。
夜間職員の配置	夜間 3 人体制。
看取り能力	夜間のオンコール体制を取っており看護職と介護職が連携。看取り実績も多い。
情報発信力	施設のブログは頻繁に更新しており、情報発信に力を入れている。

▼ 相談員の評価

職員の接遇態度の良さ	接遇に対する経営者とホーム長の意識が高く、職員への教育が行き届いている。
ホーム長の受け入れに対する積極性	ホーム長が開設以来代わっておらず、施設サービスを知り尽くしているため、受け入れに積極的。
認知症対応力	フロアケアの実施に加えスタッフの定着率が高いため、入居者一人ひとりの状態を把握。
居心地の良さ	「ご入居者さまに居心地の良い環境を提供する」というホーム運営理念をスタッフが理解し実践。

※ 2020 年 7 月 1 日の重要事項説明書等によるデータ

有 エイジフリー・ライフ 大和田

全80室

大阪府門真市常称寺町 10-1

【アクセス】京阪電鉄本線「大和田」駅より徒歩約 6 分
【運営会社】パナソニック エイジフリー株式会社
【利用料金】多様な料金制度のため詳細は同社 HP にてご確認ください

圧倒的な看取り能力。開設 22 年で看取り人数は 200 名以上にのぼる。24 時間看護師常駐体制で医療依存度の高い入居者にも対応可能。ユニットケアの実施で認知症対応力も高く、多彩なアクティビティ活動も充実。建物の共用施設も充実しておりハード面、ソフト面どちらも充実したホーム。

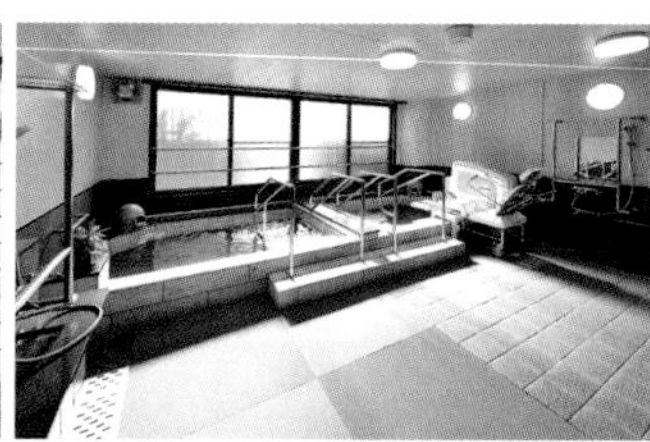

北河内

枚方／交野／四條畷／寝屋川／大東／門真／守口

▼ハード面の充実

居室の広さ	共用施設の充実	グループケアの実施	浴室環境の充実
	◎	◎	◎

▼ソフト面の充実

手厚い人員配置	契約上は要介護者 1.5 人に対し直接処遇職員 1 人配置だが、実際はそれ以上を配置。
医療対応力	24 時間看護師常駐なので医療依存度の高い方でも対応が可能。
職員定着率が高い	昨年度の離職率は 20% 以下と低め。職員の定着率が高い。
夜間職員の配置	夜間 7 人体制（看護師 1 名を含む）と充実している。
リハビリ力	手厚いリハビリケアが特長。専属の作業療法士を 2 名配置。
看取り能力	24 時間の看護師配置で看取り能力が非常に高い。昨年の看取りは 13 名。大半の入居者がホームで最期を迎える。

▼相談員の評価

職員の接遇態度の良さ	スタッフの接遇教育に注力。日本シニア住宅相談員による投票で満票。
ホーム長の受け入れに対する積極性	医療対応力や認知症対応力が高いこともあり、ホーム長は重度要介護者も積極的に受け入れている。
認知症対応力	ユニットケアの実施による認知症対応力の高さに定評がある。
アクティビティ活動の充実	レクリエーション、リハビリ、野菜作りのお手伝い等、日々のアクティビティ活動や季節の行事イベントが充実。
居心地の良さ	国際規格 ISO 取得等、居心地の良い空間実現を目指し入居者満足度向上に切磋琢磨するスタッフを施設もサポート。

※ 2020 年 7 月 1 日の重要事項説明書等によるデータ

㊒ フォーユー門真

大阪府門真市三ツ島 2-8-15

全45室

【アクセス】Osaka Metro 地下鉄長堀鶴見緑地線「門真南」駅より徒歩約 7 分
【運営会社】株式会社日健マネジメント
【利用料金】前払金 0 円、月額利用料 109,800 円

建物に過度な共用施設を設けない等の工夫により、特別養護老人ホーム並みの料金設定を実現。ハード面の不足をソフト面の充実でカバーしている。ホーム長の能力が高く介護職をうまくまとめており、職員の定着率が高い。その結果、ベテランスタッフが多くなり、入居者の安心につながっている。同社が運営する訪問看護ステーションとの連携により、医療依存度の高い方も積極的に受け入れており、看取り能力も高い。ホーム長の認知症対応型グループホームの勤務経験が活かされ、認知症対応力にも定評があるホーム。

▼ ハード面の充実

居室の広さ	共用施設の充実	グループケアの実施	浴室環境の充実
			◎

▼ ソフト面の充実

手厚い人員配置	住宅型有料老人ホームでありながら人員配置は充実。
職員定着率が高い	昨年の離職率は 20% 以下と職員の定着率が高い。
医療対応力	同社が運営する訪問看護ステーションの看護師が 24 時間対応。
介護福祉士率	介護職員に占める介護福祉士取得者率が 50% 超えとスキルの高いスタッフが多い。
看取り能力	訪問看護ステーションとの連携により昨年は 8 名の看取りを実施。

▼ 相談員の評価

ホーム長の受け入れに対する積極性	医師、訪問看護ステーションの看護師と連携し認知症や医療依存度の高い方の受け入れにも積極的。
認知症対応力	ホーム長が認知症対応型グループホーム勤務の経験を活かし、介護職への指導が行き届いているため、認知症対応力が高い。

※ 2020 年 7 月 1 日の重要事項説明書等によるデータ

有 グリーンライフ守口

大阪府守口市佐太中町 6-17-34

全155室

【アクセス】Osaka Metro 地下鉄谷町線「大日」駅より京阪バス「金田」下車、徒歩約１分
【運営会社】グリーンライフ株式会社
【利用料金】入居一時金０円、月額利用料 217,200 円～ 302,200 円

「転倒事故ゼロ」を目指しリハビリ重視施設として運営。４人の理学療法士が専用のリハビリルームで個別リハビリを提供しており、リハビリ力には定評のある施設。また、看取り能力も高い。ホーム長が元訪問看護師であったことから、ホームを「町の保健室」とし、地域開放を積極的に推進しているため地域の方々との交流が盛ん。外出レク等アクティビティ活動も充実。ハード面では最上階の９階に設けられた展望浴室や広い中庭が特長。

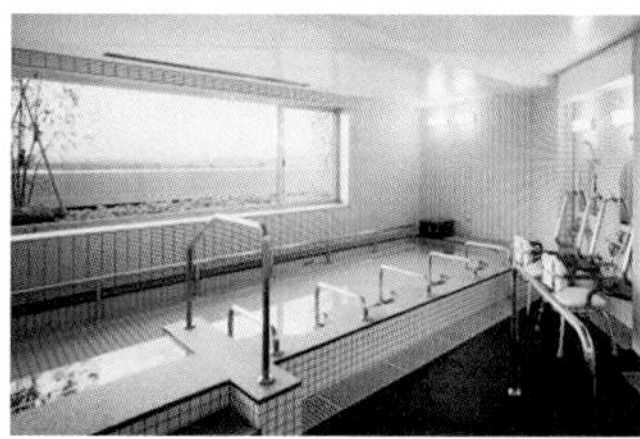

▼ ハード面の充実

居室の広さ	共用施設の充実	グループケアの実施	浴室環境の充実
○		○	◎

▼ ソフト面の充実

食事の評判の良さ	「食事は日々の元気につながる」と日々の食事に重きをおき旬の食材を活かした食事を提供。
手厚い人員配置	契約上は要介護者３人に対し直接処遇職員１人配置だが、実際はそれ以上を配置。
リハビリ力	専属の理学療法士と柔道整復師を配置。週５回以上のリハビリプログラムを用意。マッサージも受けられる。
夜間職員の配置	大規模施設のため夜間は７人体制と充実。
看取り能力	看護師配置は日中のみだが、看護師のホーム長が介護職員を指導し昨年は 28 名の看取りを実施。
情報発信力	施設のブログは頻繁に更新しており、情報発信に力を入れている。

▼ 相談員の評価

ホーム長の受け入れに対する積極性	医療依存度の高い方の受け入れにも積極的で、困難事例でも受け入れを真摯に考えるホーム長の積極性が評判。
アクティビティ活動の充実	中庭での野菜作りや専用ルームでの個別リハも定評。リハビリを兼ねた外出レクが盛んな施設。

※ 2019 年 11 月 22 日の重要事項説明書等によるデータ

有 みやの楽々園

大阪府高槻市宮野町 7-1

全100室

【アクセス】阪急電鉄京都線「高槻市」駅より市営バス「天王町」下車、徒歩約5分
【運営会社】株式会社光真
【利用料金】多様な料金制度のため詳細は同社 HP にてご確認ください

敷地内に「楽々園クリニック」を併設し、医療相談や診察を実施している。経営母体となる「第一東和会病院」へは徒歩約3分。送迎も実施。医療依存度の高い人の受け入れも可能であり、看取り能力も高い。また、すべてのスタッフを対象とした介護技術等の研修や、認知症ケア専門士による認知症ケアへの取り組みを行う等質の高い介護を実践している。同じく隣接の「愛光認定こども園」との交流も盛んで、ミニ運動会や敬老会、クリスマス会等、子どもが自然に周りにいるという暮らしを体感できる。

▼ ハード面の充実

居室の広さ	共用施設の充実	グループケアの実施	浴室環境の充実
○	◎	○	◎

▼ ソフト面の充実

介護福祉士率	介護職員に占める介護福祉士取得者率が 70% 弱と、スタッフのスキルが高い。若手・ベテランとバランス良く配置。
リハビリ力	専門の理学療法士、言語聴覚士による個別リハビリを提供。入居者の身体状況に応じた生活リハビリも実施。
夜間職員の配置	夜間 5 人体制で充実。
看取り能力	日中配置の看護師や併設の診療所スタッフたちが連携し看取りに取り組んでいる。昨年の看取り数は 12 名。

※ 2019 年 7 月 1 日の重要事項説明書等によるデータ

有 ロングライフ高槻

大阪府高槻市南松原町 11-6

全53室

【アクセス】阪急電鉄京都線「高槻市」駅より徒歩約 9 分
【運営会社】日本ロングライフ株式会社
【利用料金】多様な料金制度のため詳細は同社 HP にてご確認ください

北摂

高槻／茨木／吹田／箕面／豊中／池田

業界の老舗会社が運営するホーム。建物外装・内装、テーブル、椅子等調度品の高級感にこだわりが見られ、ホーム内には立派な庭園がある。スタッフ教育が自慢の運営会社だけあって、職員の接遇態度の良さとホーム長の対応は、同社系列ホームのなかでも高い評価を受けている。

▼ ハード面の充実

居室の広さ	共用施設の充実	グループケアの実施	浴室環境の充実
	◎	○	◎

▼ ソフト面の充実

手厚い人員配置	契約上は要介護者 2.5 人に対し直接処遇職員 1 人配置だが、実際はそれ以上を配置。
職員定着率が高い	昨年度の離職率は 20% 弱と低めであり、スタッフの定着率が高い。

▼ 相談員の評価

職員の接遇態度の良さ	ベテランスタッフと若手の割合バランスが取れている。スタッフの明るい対応が評判のホーム。
ホーム長の受け入れに対する積極性	同社ホームのなかでも、特にホーム長の受け入れへの積極性が評価されている。

※ 2019 年 7 月 1 日の重要事項説明書等によるデータ

有 サンシティ高槻

大阪府高槻市芝谷町 53-3

全142室

【アクセス】JR 京都線「高槻」駅より「寺谷町」行バスで「芝谷町」下車、徒歩約 2 分
【運営会社】株式会社ハーフ・センチュリー・モア
【利用料金】多様な料金制度のため詳細は同社 HP にてご確認ください

高級感溢れる建物やラグジュアリーな調度品等、リゾートホテルを思わせる内装が魅力的なホーム。何年先も快適に過ごすことができるよう、徹底した館内清掃を実施している。高級料亭、ホテル等を経験した調理人と専属の栄養士が届ける食事も評判が良い。さらに館内には診療所があり、看護師も 24 時間常駐しているため安心した生活を過ごせる。

▼ ハード面の充実

居室の広さ	共用施設の充実	グループケアの実施	浴室環境の充実
◎	○		◎

▼ ソフト面の充実

食事の評判の良さ	グループ会社で食事を提供。スキルの高い調理人をそろえているため、満足感のあるメニューを楽しめる。
手厚い人員配置	契約上は要介護者 1.5 人に対し直接処遇職員 1 人配置だが、実際は 1 名を配置。
職員定着率が高い	昨年度の離職率は 20% 弱と低めであり、職員の定着率が高い。
介護福祉士率	介護職員に占める介護福祉士取得者率が 70% 強と、スタッフのスキルが高い。
医療対応力	24 時間看護師が常駐し、館内にはクリニックも設けられているため、医療依存度が高くなっても対応可能。
リハビリ力	専門の作業療法士を 1 名配置し、個別リハを実施している。
夜間職員の配置	夜間 4 人体制（看護師 1 名を含む）で充実。
看取り能力	看護師と館内クリニック、介護職員が連携して看取り体制を構築している。昨年の看取り数は 16 名。

※ 2019 年 7 月 1 日の重要事項説明書等によるデータ

有 カリエール茨木

大阪府茨木市東太田 4-6-16

全193室

【アクセス】JR 京都線「摂津富田」駅より高槻市営バス「土室南」下車、徒歩約 5 分
【運営会社】グリーンライフ株式会社
【利用料金】入居一時金 0 円、月額利用料（個室）215,000 円～ 255,000 円

大型施設ならではの共用施設が広々としており過ごしやすい。ホーム長はスタッフ教育のなかでも特に接遇と認知症教育に力を入れており、グループケアの導入もあり、認知症対応力が高く評価されているのは、その成果の表れ。日中配置の看護師やホーム長、スタッフの工夫により看取り能力も高い。

▼ ハード面の充実

居室の広さ	共用施設の充実	グループケアの実施	浴室環境の充実
◎		○	◎

▼ ソフト面の充実

夜間職員の配置	大型施設のため夜間 7 人体制で充実。
看取り能力	看護師は日中配置だが、介護職員と連携し看取りを実施している。昨年の看取り数は 41 名。
情報発信力	施設のブログは頻繁に更新しており、情報発信に力を入れている。

▼ 相談員の評価

居心地の良さ	認知症、アクティビティ、接遇に力を入れており、入居者が居心地の良い時間を過ごせるよう工夫されている。

※ 2019 年 11 月 19 日の重要事項説明書等によるデータ

ⓢ SOMPOケア そんぽの家S茨木中穂積

全112室

大阪府茨木市中穂積 3-16-16

【アクセス】JR 京都線「茨木」駅より徒歩約 14 分
【運営会社】ＳＯＭＰＯケア株式会社
【利用料金】〈月払いプラン〉敷金0円、月額利用料135,000円 ～143,000円(税込)

都会と自然、その両方を併せもった好立地にたたずむホーム。少し高台に建っているため、太陽の塔や茨木辯天花火大会が見え、景色でも入居者を楽しませている。ハードの特長としては、居室内にトイレ、バス、キッチンの３点セットがあること。また軽介護時は、ホームのプランに縛られることなく、自身での入浴や自炊をすることも可能。そこから要介護となった場合でも、24 時間の介護職常駐と在宅サービス（訪問介護等）が受けられるので安心。体操や脳トレ等のアクティビティ活動も盛んで、他入居者やスタッフとの交流も多い。自立もしくは軽介護の方にお勧めのホーム。

▼ ハード面の充実

居室の広さ	共用施設の充実	グループケアの実施	浴室環境の充実
◎			◎

▼ ソフト面の充実

介護福祉士率	介護職員に占める介護福祉士取得者率は 60% を超えており、スキルと意欲の高いスタッフがそろう。
情報発信力	施設のブログは頻繁に更新しており、情報発信に力を入れている。

※ 2020 年 7 月 1 日の重要事項説明書等によるデータ

有 ルナハート 千里 丘の街

大阪府吹田市新芦屋上 3-20

全98室

【アクセス】大阪モノレール本線「宇野辺」駅より徒歩約 15 分
【運営会社】株式会社チャーム・ケア・コーポレーション
【利用料金】〈プラン１〉入居一時金０円　月額利用料 272,910 円～ 279,750 円
※詳細は同社 HP を参照

３世代共生がコンセプトの「ルナヴィータ」という街のなかに立地。街全体がユニバーサルデザインを採用し、高齢者に優しい環境づくりを行っている。ホーム内は高級感があり、英国調の建築仕様に格調高い調度品をマッチさせ、居心地の良い空間を演出する。吹田市と共同で認知症カフェを開く等、地域交流を盛んに行っていることや多様なアクティビティ活動も評価されている。

▼ ハード面の充実

居室の広さ	共用施設の充実	グループケアの実施	浴室環境の充実
○		○	◎

▼ ソフト面の充実

手厚い人員配置	契約上は要介護者 2.5 人に対し直接処遇職員１人配置だが、実際はそれ以上を配置。
夜間職員の配置	各フロアに夜勤者を配置。介護職４名体制。
看取り能力	看護師は日中のみの配置だが、看護師と介護職員が連携して看取りを実施。昨年は８名の看取りを行った。
情報発信力	施設のブログは頻繁に更新しており、情報発信に力を入れている。

▼ 相談員の評価

職員の接遇態度の良さ	運営元のチャーム・ケア・コーポレーションはスタッフに対する接遇教育にたいへん力を入れている。
ホーム長の受け入れに対する積極性	ホーム長の入居者受け入れに対する積極的な対応に評判が高い。地域交流も盛んに実施している。
居心地の良さ	高級感のある建物、フロアケアによるサービス提供体制が居心地の良い生活環境をつくりだしている。

※ 2020 年６月１日の重要事項説明書等によるデータ

★★

㊒ グッドタイム リビング 千里ひなたが丘

大阪府吹田市千里丘西 15-20

【アクセス】JR 京都線「千里丘」駅より吹田市コミュニティバス「千里ひなたが丘前」下車、徒歩約 1 分
【運営会社】グッドタイムリビング株式会社
【利用料金】多様な料金制度のため詳細は同社 HP にてご確認ください

「ホテル」を意識した上質の空間を演出し、入居者を「ゲスト」と呼びサービス提供しているのが特長。サービス面ではスタッフの接遇態度の良さとアクティビティ活動の評判が良く、居心地の良い空間づくりの礎を担う。「グッドタイムクラブ」を設け、体操系、学習系、音楽系、文化系のプログラムを毎日実施。また、同社の数多いホームのなかでもスタッフの質が高いと評判のホーム。認知症への対応力も高い。

▼ ハード面の充実

居室の広さ	共用施設の充実	グループケアの実施	浴室環境の充実
◎			◎

▼ ソフト面の充実

食事の評判の良さ	管理栄養士による栄養バランスの良いメニューを毎食 2 種類から選択することができる。
介護福祉士率	介護職員に占める介護福祉士取得者率が約 70% と、スキルの高いスタッフが多い。
夜間職員の配置	平均で介護職 4 名体制。
看取り能力	看護師は日中配置のみだが、看護師と介護職員がうまく連携し看取りを実施。昨年は 10 名の看取りを実施した。
情報発信力	施設のブログは頻繁に更新しており、情報発信に力を入れている。

▼ 相談員の評価

職員の接遇態度の良さ	同社は職員に対する接遇教育にたいへん力を入れている。
ホーム長の受け入れに対する積極性	同社のホームのなかでも施設長の受け入れへの積極性が評判。
認知症対応力	業界 5 年以上のベテラン職員が多く、認知症対応力が高いと評判。
アクティビティ活動の充実	毎日のアクティビティメニューが多い。入居者はメニュー表から参加したい活動を選び当日自由に参加できる。
居心地の良さ	高級感のある建築と調度品が居心地の良い空間をつくりだしている。

※ 2019 年 7 月 1 日の重要事項説明書等によるデータ

㊒ はっぴーらいふ吹田

大阪府吹田市朝日が丘町 13-1

全60室

【アクセス】JR 京都線「吹田」駅より徒歩約 11 分
【運営会社】株式会社ライフケア・ビジョン
【利用料金】入居一時金 0 円、月額利用料 153,200 円～ 203,200 円

癒・食・住の 3 つの観点から入居者の日々の幸せを達成することが運営理念。「癒」面では専門家による無料のマッサージ等を含む「はっぴーリハ」、浸かっているだけで洗浄効果があり温かさが持続する「マイクロバブル」装置を設置した浴室での入浴。「食」面では有名料理人のもとで修業を行った料理人の食事を提供。「住」面では睡眠センサーや、最新のナースコールシステム等を導入し、スタッフに負担をかけず、入居者に安心できる生活を提供している。同社のホームのなかでも特に人気のあるホームだ。

▼ ハード面の充実

居室の広さ	共用施設の充実	グループケアの実施	浴室環境の充実
	○	○	◎

▼ ソフト面の充実

食事の評判の良さ	同社は元和食の職人が設立した会社であり、食事に力を入れている。
手厚い人員配置	住宅型有料老人ホームでありながら、手厚い人員配置によりサービス提供を行っている。
職員定着率が高い	昨年度の離職者はなし。職員の定着率が高いホーム。
介護福祉士率	介護職員に占める介護福祉士取得者率が 50% 以上。スキルの高いスタッフが多い。
リハビリ力	柔道整復師を配置し、癒しのリハ「はっぴーリハ」を提供。
情報発信力	施設のブログは頻繁に更新しており、情報発信に力を入れている。

※ 2020 年 7 月 24 日の重要事項説明書等によるデータ

★★

㊒ グッドタイム リビング 南千里

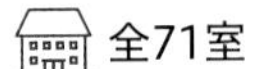

全71室

大阪府吹田市山田西 3-22-2

【アクセス】阪急電鉄千里線または大阪モノレール本線「山田」駅より徒歩約 12 分
【運営会社】グッドタイムリビング株式会社
【利用料金】多様な料金制度のため詳細は同社 HP にてご確認ください

「ホテル」を意識した上質の空間を演出。入居者を「ゲスト」と呼びサービス提供しているのが特長。サービス面ではスタッフの接遇態度の良さとアクティビティ活動の評判が良く、居心地の良い空間づくりの礎を担う。同社が運営するホームは、各ホームに「グッドタイムクラブ」を設け、体操系、学習系、音楽系、文化系のプログラムを毎日実施している。当日参加ができるため、その日の気分や体調に合わせることが評判である。比較的軽度な自立の方にお勧めのホーム。

▼ ハード面の充実

居室の広さ	共用施設の充実	グループケアの実施	浴室環境の充実
○	◎		○

▼ ソフト面の充実

食事の評判の良さ	食事を重視しており、管理栄養士による栄養バランスの良いメニューを毎食 2 種類から選択できる。
職員定着率が高い	昨年度の離職率は 10% 程度と低く、スタッフの定着率が高い。
介護福祉士率	介護職員に占める介護福祉士取得者率が 60% 以上。スキルの高いスタッフが多い。
夜間職員の配置	平均で介護職 3 名体制と充実している。
看取り能力	看護師は日中のみの配置だが、看護師と介護職員がうまく連携し看取りを実施。昨年は 10 名の看取りを実施。
情報発信力	施設のブログは頻繁に更新しており、情報発信に力を入れている。

▼ 相談員の評価

職員の接遇態度の良さ	同社は職員に対する接遇教育にたいへん力を入れている。
アクティビティ活動の充実	同社のホームは毎日のアクティビティメニューが多いことで有名。入居者はメニュー表から参加したい活動を選び当日自由に参加できる。

※ 2019 年 10 月 1 日の重要事項説明書等によるデータ

有 ケアビレッジ千里・古江台

大阪府吹田市古江台 5-3-7

全52室

【アクセス】阪急電鉄千里線・大阪モノレール本線「山田」駅より徒歩約 16 分
【運営会社】パナソニックホームズ株式会社
【利用料金】入居一時金 0 円、月額利用料 492,129 円

ユニットケアの実施により家庭的な雰囲気を提供するとともに、一人ひとりの状況をきちんと把握。認知症高齢者にも住み良い環境を提供。館内併設のクリニックドクターと全スタッフがミーティングを実施し、スムーズな医療・介護サービスを提供できるよう工夫している。

北摂

高槻／茨木／吹田／箕面／豊中／池田

▼ ハード面の充実

居室の広さ	共用施設の充実	グループケアの実施	浴室環境の充実
○	○	◎	◎

▼ ソフト面の充実

手厚い人員配置	契約上は要介護者 1.5 人に対し直接処遇職員 1 人配置だが、実際はそれ以上を配置。
医療対応力	24 時間看護師常駐なので医療依存度の高い方でも対応が可能。
介護福祉士率	介護職員に占める介護福祉士取得者率が 70% 以上。スキルの高いスタッフが多い。
リハビリ力	専任の理学療法士を配置し、個別リハ、集団リハともに実施。
夜間職員の配置	各ユニットに夜勤者を配置。介護職 4 名体制。
情報発信力	施設のブログは頻繁に更新しており、情報発信に力を入れている。

※ 2020 年 7 月 1 日の重要事項説明書等によるデータ

㋚ チャームスイート千里津雲台

全60室

大阪府吹田市津雲台 5-13-34

【アクセス】阪急電鉄千里線「山田」駅より徒歩約６分
【運営会社】株式会社チャーム・ケア・コーポレーション
【利用料金】〈プラン１〉入居一時金０円、月額利用料 272,910 円〜 279,750 円
※詳細は同社 HP を参照

「アートギャラリーホーム」と銘打ち、美大生等の作品を館内に配置し、入居者や家族の心の癒しにつなげている。女性のホーム長ならではの発想で、お花やスイーツをテーマにしたアクティビティ活動を行っている。居心地の良さ、アクティビティ活動の充実が特に評価されているホーム。

▼ハード面の充実

居室の広さ	共用施設の充実	グループケアの実施	浴室環境の充実
○			◎

▼ソフト面の充実

情報発信力	施設のブログは頻繁に更新しており、情報発信に力を入れている。

▼相談員の評価

職員の接遇態度の良さ	同社はスタッフに対する接遇教育に力を入れており、接遇態度の良さは各ホーム共通。
ホーム長の受け入れに対する積極性	ホーム長の入居者受け入れへの積極性が評判。地域交流も盛んに実施している。
アクティビティ活動の充実	女性のホーム長がお花をテーマにしたさまざまなアクティビティを実施。食事やスイーツを絡めたイベントが評判。
居心地の良さ	美大生等の作品を館内に配置し、心の癒しにつなげるといった居心地の良い環境づくりが高く評価されている。

※ 2020 年７月１日の重要事項説明書等によるデータ

㋚ シャンテ南吹田

大阪府吹田市南吹田 3-11-14

全31室

【アクセス】JR おおさか東線「南吹田」駅より徒歩約 9 分
【運営会社】株式会社スマイルライフ
【利用料金】入居一時金 0 円、月額利用料 125,229 円

北摂

高槻／茨木／吹田／箕面／豊中／池田

入居相談会社の相談員に評判のホーム。小規模ながら教育部を設置し、接遇、レクリエーション、資格取得等スタッフ教育に力を入れている。その結果、スタッフの接遇態度、認知症対応力、アクティビティの充実等各サービスのレベルが上がっている。スタッフへの手厚い教育指導が、居心地の良い空間づくりにつながっている。

▼ ハード面の充実

居室の広さ	共用施設の充実	グループケアの実施	浴室環境の充実
○		○	○

▼ ソフト面の充実

手厚い人員配置	住宅型有料老人ホームでありながら、手厚い人員配置でのサービス提供を行っている。
職員定着率が高い	昨年度の離職率は 15% と低く、職員の定着率が高い。

▼ 相談員の評価

職員の接遇態度の良さ	教育部を設け、接遇、レクリエーション、資格挑戦に力を入れている。
ホーム長の受け入れに対する積極性	ホーム長は困難事例でも受け入れを前向きに検討してくれると評判。
認知症対応力	「自分でできることは自分でする」をモットーに、入居者一人ひとりの状態を把握し、サービス提供を行っている。
アクティビティ活動の充実	日常的な動作のリハビリに力を入れており、身体を動かせることでレクリエーションが楽しめる工夫をしている。
居心地の良さ	常に入居者が笑顔になる空間づくりをモットーに運営に取り組み、居心地の良い空間をつくりだしている。

※ 2019 年 11 月 1 日の重要事項説明書等によるデータ

有 カルム桃山台

大阪府吹田市春日 4-12-26

全72室

【アクセス】北大阪急行電鉄南北線「桃山台」駅より徒歩約 12 分
【運営会社】株式会社サフィールケア
【利用料金】多様な料金制度のため詳細は同社 HP にてご確認ください

介護の必要有無にかかわらず入居できる混合型有料老人ホームの老舗。自立からの入居だが、看取り能力も高く、終の棲家としての評判も良い。老舗ならではの経験で、スーパー、病院への巡回バスの運行を行っていたり、入院時の着替え届けサービス、クラブ活動の運営補助等長年の運営経験から実現した自立者向けのサービスの評判が良い。

▼ ハード面の充実

居室の広さ	共用施設の充実	グループケアの実施	浴室環境の充実
	◎	◎	◎

▼ ソフト面の充実

食事の評判の良さ	自社調理。自立入居者が多いため、直接希望を反映させて作る食事は評判が良い。
手厚い人員配置	契約上は要介護者 2.5 人に対し直接処遇職員 1 人配置だが、実際はそれ以上を配置。
夜間職員の配置	介護職 3 名体制。
介護福祉士率	介護職員に占める介護福祉士取得者率が 70%以上。スキルの高いスタッフが多い。
看取り能力	看護師は日中配置だが、昨年は 8 名の看取りを実施。自立から入居し看取りまで安心して暮らせるホーム。

▼ 相談員の評価

職員の接遇態度の良さ	自立入居者の対応があることもあり、接遇態度の良さは評判。

※ 2020 年 7 月 1 日の重要事項説明書等によるデータ

有 アクティブライフ箕面

大阪府箕面市小野原東 6-24-3

全202室

【アクセス】阪急電鉄千里線「北千里」駅より阪急バス「小野原東」下車、徒歩約５分
【運営会社】株式会社アクティブライフ
【利用料金】多様な料金制度のため詳細は同社 HP にてご確認ください

業界でも老舗ホームとして有名。関西では自立入居者向けホームの手本となっている。自立からの入居になるが、併設しているクリニックの医師、24 時間の看護体制もあり、看取りまで、同一居室で生活が継続できる稀有なホーム。健康寿命延伸の取り組みとして、介護予防リハビリや運動プログラムを提供。参加率も高く、クラブ活動も盛んで、居室内に閉じこもらない工夫を実施している。ほぼ24時間医師常駐のクリニックを設置し、入居者が安心して生活できる環境を整えている。

▼ ハード面の充実

居室の広さ	共用施設の充実	グループケアの実施	浴室環境の充実
◎	○	○	◎

▼ ソフト面の充実

手厚い人員配置	契約上は要介護者２人に対し直接処遇職員１人配置だが、実際はそれ以上を配置。
職員定着率が高い	昨年度の離職率は 10% 程度と低め。スタッフ教育に力を入れておりスタッフの定着率が高い。
介護福祉士率	介護職員に占める介護福祉士取得者率が 60% 弱。スキルの高いスタッフが多い。
医療対応力	館内にクリニック併設。ほぼ 24 時間医師が常駐。看護師は 24 時間常駐しており、医療依存度が高くなっても安心。
リハビリ力	併設クリニックには理学療法士、作業療法士が勤務。退院後も医師の診断のもと、リハビリを受けられる。
看取り能力	併設クリニック医師、看護師の 24 時間常駐体制の看取り体制で、昨年は７名の看取りを実施。看取り能力は高い。

▼ 相談員の評価

職員の接遇態度の良さ	スタッフに対する接遇教育に力を入れている。接遇の良さは業界で評判。
居心地の良さ	館長以下、職員がいかに居心地良く暮らしていただけるかを常に考えているホーム。

※ 2020 年１月１日の重要事項説明書等によるデータ

㊒ ささゆりの宿り

大阪府箕面市彩都粟生南 2-25-17

全45室

【アクセス】大阪モノレール彩都線「彩都西」駅より徒歩約 15 分
【運営会社】株式会社ＭＳＣ
【利用料金】入居一時金 0 円、月額利用料 125,000 円

24 時間看護師配置で医療依存度の高い方を受け入れるホーム。比較的入居費用が高い北摂エリアにあって、低価格を実現してくれているのは魅力。スタッフの接遇態度の良さも評判で明るい雰囲気のあるホーム運営が行われている。経営者の食事に対するこだわりによって医療依存度の高い入居者の食事には手間暇がかかるため敬遠されがちだが、自ホーム調理体制で入居者一人ひとりに合わせた食事を提供できるのが強み。価格以上のサービスの提供により、エリア内ではたいへん人気の高いホーム。

▼ ハード面の充実

居室の広さ	共用施設の充実	グループケアの実施	浴室環境の充実
			◎

▼ ソフト面の充実

食事の評判の良さ	健康管理の観点から要介護高齢者の食事を重視。自ホーム調理のスタイルで入居者一人ひとりの状態に対応している。
職員定着率が高い	昨年度の離職はほとんどなく、職員の定着率が高い。
医療対応力	系列の訪問看護ステーションを活用し、24 時間看護師を配置し、医療依存度の高い方でも対応可能。
夜間職員の配置	看護師 1 名、介護職 2 名、計 3 名の夜間配置。定員 45 名に対する配置としては多い。
看取り能力	24 時間の看護職員体制もあり看取り体制は充実。

▼ 相談員の評価

職員の接遇態度の良さ	スタッフ間の雰囲気が良く、ホーム内に明るい雰囲気を醸成。
ホーム長の受け入れに対する積極性	24 時間看護師配置により医療依存度の高い方でも積極的に受け入れ。
居心地の良さ	施設全体が明るい雰囲気で居心地の良いホームとして評判。

※ 2020 年 7 月 1 日の重要事項説明書等によるデータ

㊒スーパー・コート 箕面小野原

全60室

大阪府箕面市小野原西 6-14-15

【アクセス】阪急電鉄千里線「北千里」駅より徒歩約 18 分
【運営会社】株式会社スーパー・コート
【利用料金】入居一時金 0 円（非課税）、月額利用料 209,905 円（税込）

スタッフ教育、特に接遇と認知症ケアの教育に力を入れており、同社運営ホームのなかで高く評価されているホーム。接遇は系列のスーパーホテルより抜き打ちで検査が入る等、グループの経営資源も活用して運営。介護と医療の連携により「認知症の症状を改善する研究」も行っており、「日本認知症ケア学会」において発表、石崎賞を受賞した。認知症の方にお勧めのホーム。

▼ ハード面の充実

居室の広さ	共用施設の充実	グループケアの実施	浴室環境の充実
○			◎

▼ ソフト面の充実

手厚い人員配置	住宅型有料老人ホームでありながら要介護者 2.5 名に対し 1 人の直接処遇職員配置。
職員定着率が高い	昨年度の離職率は 5% 程度と低め。職員の定着率が高く、若手の職員が多い。
介護福祉士率	介護職員に占める介護福祉士取得者率が 60% 強。スタッフ教育に力を入れており若手スタッフの資格取得意欲が高い。
夜間職員の配置	介護職 3 名の夜間体制。
看取り能力	看護師は日中配置のみだが、介護職員と連携し看取りに取り組んでおり、昨年は 9 名の看取りを実施。

▼ 相談員の評価

認知症対応力	同社は毎年「認知症ケア事例検討会」を実施。さまざまな治療法を取り入れたり認知症ケア専門士資格取得の後押しをしている。

※ 2019 年 7 月 1 日の重要事項説明書等によるデータ

有 プレザンメゾン箕面

大阪府箕面市半町 3-14-10

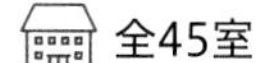
全45室

【アクセス】阪急電鉄箕面線「桜井」駅より徒歩約 5 分
【運営会社】株式会社ケア 21
【利用料金】入居一時金 0 円（非課税）、月額利用料 169,108 円（税込）

敷地内に緑を多く取り入れ、入居者と一緒に施設内の畑で季節の野菜や花を育てている。同社は認知症対応型グループホームを多く運営しており、認知症ケアに対する経験が豊富である。スタッフ教育にも力を入れているため、同ホームではスタッフ定着率が高く、ベテランスタッフが多いのが特長。大手運営会社でありながら低価格帯なのも安心できる。

▼ ハード面の充実

居室の広さ	共用施設の充実	グループケアの実施	浴室環境の充実
			◎

▼ ソフト面の充実

食事の評判の良さ	同社の子会社が食材を提供し施設内で調理。管理栄養士が作成した栄養価の高いメニューが評判。
手厚い人員配置	契約上は要介護者 2.5 人に対し直接処遇職員 1 人配置だが、実際はそれ以上を配置。
職員定着率が高い	昨年度の離職率は 10% 未満と低め。同社全体でスタッフ教育に力を入れており定着率は高い。
介護福祉士率	介護職員に占める介護福祉士取得者率が 70% 弱。経験 5 年以上のスタッフが 7 割以上を占めておりスキルが高い。

※ 2019 年 10 月 12 日の重要事項説明書等によるデータ

有 ユトリーム 箕面桜ヶ丘

全50室

大阪府箕面市桜ケ丘 3-8-36

【アクセス】阪急電鉄箕面線「牧落」駅より徒歩約 15 分
【運営会社】株式会社かんでんジョイライフ
【利用料金】〈月額最低プランの場合〉入居一時金 970 万円、月額利用料 218,576 円　※詳細は同社 HP を参照

関西電力グループが運営するホーム。要介護者対象のホームながら全室25㎡以上と専用居室が広いのが特長。介護福祉士を取得し、業界経験年数が長いスタッフが多い。

▼ハード面の充実

居室の広さ	共用施設の充実	グループケアの実施	浴室環境の充実
◎			◎

▼ソフト面の充実

手厚い人員配置	契約上は要介護者 2 人に対し直接処遇職員 1 人配置だが、実際はそれ以上を配置。
介護福祉士率	介護職員に占める介護福祉士取得者率が 70% 弱。経験 5 年以上のスタッフが多い。
夜間職員の配置	夜間は介護職 3 名体制で対応。
リハビリ力	理学療法士が 4 名勤務。専用のリハビリ室を設け個人リハビリを毎週、集団リハは週 2 回提供している。

※ 2019 年 7 月 1 日の重要事項説明書等によるデータ

有 アシステッドリビングホーム 豊泉家 桃山台

全82室

大阪府豊中市上新田 3-10-36

【アクセス】北大阪急行電鉄南北線「桃山台」駅より徒歩約 10 分
【運営会社】社会福祉法人福祥福祉会
【利用料金】入居一時金 0 円（非課税）、月額利用料 443,800 円
※前払金プラン有、詳細は同社 HP を参照

アクティビティ活動に力を入れており、1日4つの活動の実施で日々退屈することなく過ごすことができるホーム。入居者に朝から大きな声で歌ってもらうことを目的とし、毎朝ロビーコンサートを実施。食事も自ホーム調理で提供。入居者が自発的に「食委員会」を設け、ホームに対し要望を伝えることができ、可能な限り反映される仕組みになっている。比較的軽度の方にお勧めのホームだが、24 時間の看護師配置や認知症に力を入れたケアの提供等も魅力。安心して看取りまで過ごせるホーム。

▼ ハード面の充実

居室の広さ	共用施設の充実	グループケアの実施	浴室環境の充実
○		○	◎

▼ ソフト面の充実

食事の評判の良さ	入居者が自主的に「食委員会」を開催。ホームに入居者の声を反映。
手厚い人員配置	契約上は要介護者 2 人に対し直接処遇職員 1 人配置だが、実際はそれ以上を配置。
職員定着率が高い	昨年度の離職率は 15% 程度と低く、スタッフの定着率が高い。
医療対応力	24 時間看護師常駐。看護師が計 13 名勤務しており、医療依存度の高い方でも対応が可能。
夜間職員の配置	看護師 1 名と介護職 3 名、計 4 名の夜間体制。
看取り能力	24 時間の看護職員体制もあり看取り体制は充実。昨年は 8 名の看取りを実施。

▼ 相談員の評価

職員の接遇態度の良さ	接遇教育に力を入れている。接遇態度の良さには評判。
ホーム長の受け入れに対する積極性	24 時間の看護体制もあり、ホーム長は困難事例でも前向きに検討。
認知症対応力	同法人は、認知症ケアに力を入れている。人のもつ「生きるための本能」を尊重するケアを提供。
アクティビティ活動の充実	毎日の 4 つのアクティビティを実施。毎月のバースデイパーティーや、季節に合わせたイベントも数多く開催。

※ 2019 年 11 月 27 日の重要事項説明書等によるデータ

有 チャームスイート 緑地公園

大阪府豊中市西泉丘 3-2-21

全128室

【アクセス】北大阪急行電鉄南北線「桃山台」駅より阪急バス「ジオ緑地住宅前」下車、徒歩約 3 分
【運営会社】株式会社チャーム・ケア・コーポレーション
【利用料金】入居一時金 0 円～（非課税）、月額利用料 206,850 円～ 292,850 円
※一時金プラン有、詳細は同社 HP を参照

同社の施設のなかでは比較的大規模施設となるため、スタッフも 50 名以上在籍。この潤沢な人員を活かして夏祭り等のイベントを盛大に実施し、入居者に喜ばれている。日々のアクティビティ活動も充実しており、評価が高いホーム。同社全体でスタッフの接遇教育に力を入れており、その成果として、入居者とスタッフが良好な関係を築き、日々笑顔が絶えない空間づくりが行えている。

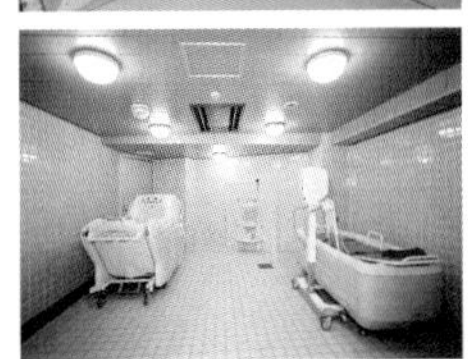

▼ ハード面の充実

居室の広さ	共用施設の充実	グループケアの実施	浴室環境の充実
○		○	◎

▼ ソフト面の充実

職員定着率が高い	昨年度の離職率は 10% 程度と低く、職員の定着率が高い。
介護福祉士率	介護経験 10 年以上のスタッフ 6 割、介護職員に占める介護福祉士取得者率 60% 以上とスキルの高いスタッフが多い。
リハビリカ	理学療法士が 4 名勤務。専用のリハビリ室を設け、個人リハを毎週、集団リハは週 2 回提供している。
夜間職員の配置	夜間は介護職 5 名体制で充実。
看取り能力	看護職員は日中のみの配置だが、オンコール体制や介護職員との連携で看取りを実施。昨年は 24 名の看取りを実施した。
情報発信力	施設のブログは頻繁に更新しており、情報発信に力を入れている。

▼ 相談員の評価

職員の接遇態度の良さ	同社はスタッフの接遇教育にたいへん力を入れており、接遇態度の評価が高い。
ホーム長の受け入れに対する積極性	ホーム長は困難事例でも相談に乗る等受け入れに前向き。
アクティビティ活動の充実	スタッフの多さを活かしイベント等に注力。また、ホーム長同士が活動に関する情報を交換し活動に反映している。
居心地の良さ	スタッフと入居者が良い関係を構築し、日々明るい笑顔で暮らせる施設。

※ 2020 年 1 月 18 日の重要事項説明書等によるデータ

㊒ アクティブライフ豊中

大阪府豊中市北緑丘 2-8-7

全66室

【アクセス】北大阪急行電鉄南北線「千里中央」駅より阪急バス「北緑丘小学校前」下車、徒歩約 2 分
【運営会社】株式会社アクティブライフ
【利用料金】入居一時金 0 円（非課税）、月額利用料 402,265 円～ 456,265 円
※入居一時金併用プラン有、詳細は同社 HP を参照

民間の有料老人ホームでは珍しく、少人数でのユニットケアを導入。スタッフへの認知症教育にも力を入れている。それにより、認知症の入居者がスタッフや他の入居者と顔なじみの関係が築くことができ、安心して暮らせる空間を提供している。人員面も含めハード面の環境も充実しているため、認知症対応力に高い評価を得ている。24 時間看護師を配置しており、介護職の手厚い配置により看取り能力も高い。認知症の方にお勧めのホーム。

▼ ハード面の充実

居室の広さ	共用施設の充実	グループケアの実施	浴室環境の充実
◎	○	◎	◎

▼ ソフト面の充実

手厚い人員配置	契約上は要介護者 1.5 人に対し直接処遇職員 1 人配置だが、実際はそれ以上を配置。
介護福祉士率	介護職員に占める介護福祉士取得者率が 60% 以上。スキルの高いスタッフが多い。
医療対応力	24 時間看護師を配置。看護師が計 10 名勤務しており、医療依存度の高い入居者でも対応が可能。
夜間職員の配置	看護師 1 名、介護職はユニット毎に 5 名と全体を見る 1 名の計 6 名。夜勤全体で 7 名体制とたいへん充実している。
看取り能力	昨年は 11 名の看取りを実施。24 時間看護師を配置しており、看取り能力は高い。

※ 2019 年 10 月 2 日の重要事項説明書等によるデータ

有 メルシー緑が丘

大阪府豊中市少路 1-7-21

全64室

【アクセス】大阪モノレール本線「少路」駅より徒歩約 2 分
【運営会社】株式会社ビケンテクノ
【利用料金】入居一時金 0 円～（非課税）、月額利用料 410,600 円～ 423,560 円

関西でもスタッフの手厚さに関しては定評のあるホーム。理学療法士が 4 名、看護師が 12 名在籍と専門職も豊富に雇用。介護職も経験 10 年以上のスタッフが 6 割以上とスキルが高い職員が多い。手厚い人員のため認知症高齢者や医療依存度の高い方も安心して入居できるホーム。専用のリハビリ室、フロアケアを実施、入浴環境の充実等重度の方に適した環境となっている。

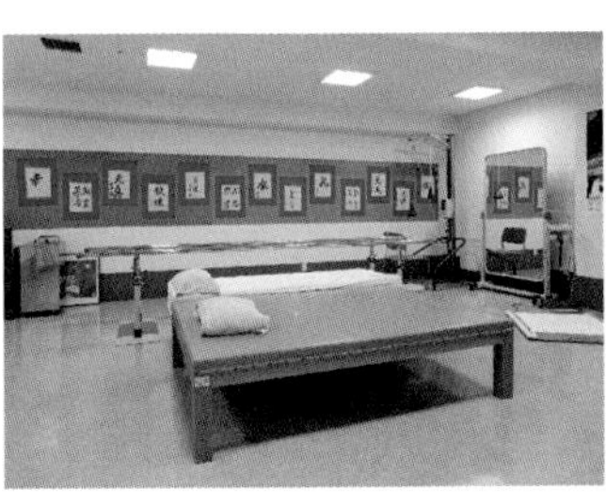

▼ ハード面の充実

居室の広さ	共用施設の充実	グループケアの実施	浴室環境の充実
◎	○	○	◎

▼ ソフト面の充実

手厚い人員配置	契約上は要介護者 1.5 人に対し直接処遇職員 1 人配置だが、実際はそれ以上を配置。
介護福祉士率	介護経験 10 年以上のスタッフ 6 割、介護職員に占める介護福祉士取得者率 60% 以上とスキルの高いスタッフが多い。
医療対応力	24 時間看護師を配置。看護師が計 12 名勤務しており、医療依存度の高い入居者でも対応が可能。
リハビリ力	理学療法士が 4 名勤務。専用のリハビリ室を設け、個別リハを毎週、集団リハは週 2 回提供している。
夜間職員の配置	看護師 1 名、介護職 4 名、計 5 名体制。充実した夜勤体制。
看取り能力	24 時間看護師を配置しており、昨年は 9 名の看取りを実施。
情報発信力	施設のブログを頻繁に更新する等、施設の情報発信に力を入れている。

▼ 相談員の評価

ホーム長の受け入れに対する積極性	リハビリ体制の充実と 24 時間看護師が常駐していることから、医療依存度の高い方でも積極的に受け入れている。
居心地の良さ	24 時間看護師常駐体制とスタッフのスキルの高さから、終の棲家として安心して過ごせる空間を実現。

※ 2019 年 11 月 29 日の重要事項説明書等によるデータ

有 SOMPOケア そんぽの家 豊中南曽根

全48室

大阪府豊中市曽根南町 2-12-25

【アクセス】阪急電鉄宝塚線「服部天神」駅より徒歩約 17 分
【運営会社】ＳＯＭＰＯケア株式会社
【利用料金】入居一時金 0 円、月額利用料 147,660 円

大手グループの運営だが、低価格でのサービス提供を実現している。認知症グループホームと併設しているホームのため認知症対応力にも定評がある。スタッフの明るい接遇態度等はもちろん、入居者主催の音楽鑑賞会を行う等明るく楽しく過ごせるホームを目指している。また、5つの協力医療機関があり、自分に合った訪問診療医を選べるのも強み。

▼ ハード面の充実

居室の広さ	共用施設の充実	グループケアの実施	浴室環境の充実
	◎	○	○

▼ ソフト面の充実

手厚い人員配置	契約上は要介護者 3 人に対し直接処遇職員 1 人配置だが、実際はそれ以上を配置。
看取り能力	看護師は日中配置のみだが、訪問診療医とホームがうまく連携し看取りを実施。昨年は 7 名の看取りを実施した。
情報発信力	施設のブログは頻繁に更新しており、情報発信に力を入れている。

※ 2019 年 12 月 26 日の重要事項説明書等によるデータ

㋚ロイヤルホーム柴原

大阪府豊中市柴原町 2-6-25

全61室

【アクセス】大阪モノレール本線「柴原阪大前」駅より徒歩約 5 分
【運営会社】有限会社ハートフルケア
【利用料金】入居一時金 0 円（非課税）、月額利用料 172,000 円

スタッフを大切にする会社。薬局を経営母体とし、薬剤師の社長がスタッフの福利厚生を大切にしている。インカム導入等、積極的にＩＣＴを導入することで介護職の負荷・不安を軽減。離職率が低く、スタッフの定着率が高い。ホームで特に力を入れているのが食事。自社でメニューを作成し、和食職人が自家調理を実施している。食事が日々の活動の礎という考え方のもと、残食をなくすよう、味付け、盛り付け等で工夫を凝らしている。

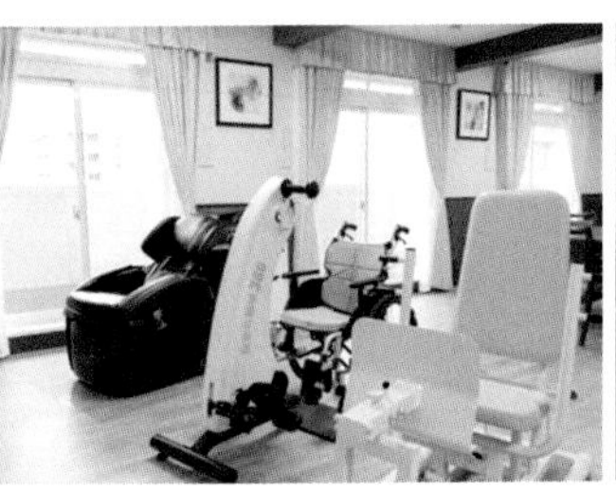

▼ ハード面の充実

居室の広さ	共用施設の充実	グループケアの実施	浴室環境の充実
○			◎

▼ ソフト面の充実

食事の評判の良さ	社長自ら和食の調理人をスカウト。食事はすべての行動のもとととらえ、味付け、盛り付け等の工夫をしている。
職員定着率が高い	昨年度の離職率は 5 % 以下と低め。スタッフの定着率が高い。
介護福祉士率	介護職員に占める介護福祉士取得者率が 60% 以上。スキルの高いスタッフが多い。
リハビリ力	専属の理学療法士を配置。リハビリに力を入れている。
看取り能力	看護師は日中配置のみだが、経営母体の薬局薬剤師、訪問医師、施設スタッフと連携し、看取りに取り組んでいる。

※ 2019 年 7 月 1 日の重要事項説明書等によるデータ

㋚ スーパー・コート プレミアム池田

全58室

大阪府池田市井口堂 3-1-9

【アクセス】阪急電鉄宝塚線「石橋阪大前」駅より徒歩約 6 分
【運営会社】株式会社スーパー・コート
【利用料金】〈入居時 80 歳以上の場合〉前払い方式① 12,840,000 円　前払い方式② 9,720,000 円　③前払いなし、月額利用料 183,960 円～ 397,960 円
※詳細は同社 HP を参照

同社のホームのなかでも特に高級感のあるハードが人気の施設。職員教育、特に接遇と認知症ケアの教育に力を入れている。同社系列ホテルの教育を受けたコンシェルジュを配置し、入居者の相談事のすべての窓口になっているのも特長。それにより介護職が介護サービスに集中できる環境をつくりだしている。食事の時間が決まっておらず、好きなときにダイニングに行けば食事ができるという他社にはないサービスも提供。

▼ ハード面の充実

居室の広さ	共用施設の充実	グループケアの実施	浴室環境の充実
○		○	◎

▼ ソフト面の充実

手厚い人員配置	住宅型有料老人ホームでありながら要介護者約 2 名に対し 1 人という手厚い直接処遇職員配置を実現。
介護福祉士率	介護職員に占める介護福祉士取得者率が 60% 強。若手職員の資格取得意欲が高い。
夜間職員の配置	介護職 3 名の夜間体制。

▼ 相談員の評価

職員の接遇態度の良さ	ホテル経営の経営母体が接遇教育の向上を図っている。ホテルの教育担当が監査に来ることも。
ホーム長の受け入れに対する積極性	認知症フロアを備えているため、認知症の方の受け入れを積極的に行っている。
アクティビティ活動の充実	アクティビティ活動への参加率を高めるため、重度、軽度それぞれに分けたアクティビティ活動を実施。
居心地の良さ	高級感のあるハードやスタッフの接遇態度の良さが居心地の良い空間をつくりだす。

※ 2019 年 8 月 18 日の重要事項説明書等によるデータ

㊒ グッドタイム リビング 池田緑丘

全53室

大阪府池田市緑丘 1-4-23

【アクセス】阪急電鉄宝塚線「石橋阪大前」駅より阪急バス「緑丘小学校前」下車、徒歩約1分
【運営会社】グッドタイムリビング株式会社
【利用料金】多様な料金制度のため詳細は同社 HP にてご確認ください

住宅型有料老人ホームの特長を活かし、一人ひとりに合ったケアを提供している。スタッフ教育にも力を入れており離職率が低く、若手スタッフからベテランスタッフまで、余裕のある人員配置を実現。音楽、体操、学習、文化、認知症予防等、アクティビティ活動として毎日３本のプログラムを用意し、入居者の意思で自由に参加できるのが特長。看取り能力も高いため、比較的軽度で入居し、終の棲家として安心して過ごせるホーム。

▼ ハード面の充実

居室の広さ	共用施設の充実	グループケアの実施	浴室環境の充実
○			○

▼ ソフト面の充実

食事の評判の良さ	管理栄養士考案の献立が人気。毎食２種類から選択でき、アラカルトやデザート等のサイドメニューもある。
手厚い人員配置	住宅型有料老人ホームであるものの、要介護者約２名に対し１人以上の直接処遇職員を配置。
職員定着率が高い	昨年度の離職率は 15% 以下であり、スタッフの定着率が高い。若手からベテランまでまんべんなく配置。
介護福祉士率	介護職員に占める介護福祉士取得者率が 50% 以上。スキルの高いスタッフが多い。
夜間職員の配置	介護職３名の夜間配置。53 室のホームとしては充実している。
看取り能力	看護師は日中配置だが、提携診療所の医師、看護師、介護職員との連携で看取りを行っている。昨年の看取り数は８名と看取り能力は高い。

▼ 相談員の評価

職員の接遇態度の良さ	スタッフに対する接遇教育に力を入れている。高級感のある建物と調度品が接遇態度の良さにマッチしている。
ホーム長の受け入れに対する積極性	同社の数あるホームのなかでも、ホーム長の受け入れへの積極性は評判。
アクティビティ活動の充実	毎日のアクティビティメニューが多い。入居者はメニュー表から参加したい活動を選び当日自由に参加できる。

※ 2019 年８月 30 日の重要事項説明書等によるデータ

㋚ シュールメゾンポプラ東山

大阪府池田市東山町 551

全20室

【アクセス】阪急電鉄宝塚線「池田」駅より阪急バス「東山」下車、徒歩約4分
【運営会社】株式会社ポプラコーポレーション
【利用料金】入居一時金等0円、月額利用料145,000円

同一敷地内に系列のクリニック、訪問看護事業所があり、それらと連携することにより、医療依存度の高い方を受け入れることを可能にしている。低価格であることから、地域の病院等医療機関からの問い合わせが多く、頼りにされている存在。重度の入居者が多いが、特養、介護付き有料と連携しアクティビティ活動への参加や共用施設の利用も可能。重度の方が最後に頼れる施設として地元で支持を受けているホーム。

▼ ハード面の充実

居室の広さ	共用施設の充実	グループケアの実施	浴室環境の充実
○	◎	○	◎

▼ ソフト面の充実

手厚い人員配置	サービス付き高齢者向け住宅であるものの、要介護者約2.2名に対し1人以上の直接処遇職員を配置している。
職員定着率が高い	昨年度の離職率は15%以下であり、スタッフの定着率が高い。
医療対応力	24時間看護師配置。系列のクリニックとの連携により医療依存度の高い方でも対応可能。
介護福祉士率	介護職員に占める介護福祉士取得者率が90%に近く、スキルの高いスタッフが多い。若手職員が多いのも特長。
看取り能力	看護師と系列クリニックの医師が連携して看取りを行っているため、看取り能力が高い。昨年の看取り数は6名。

▼ 相談員の評価

職員の接遇態度の良さ	系列社会福祉法人の理事長が自ら率先して職員の接遇を指導しているため接遇態度の良さが評判。
認知症対応力	敷地内に認知症対応型グループホームがあることがスタッフの認知症対応スキル向上につながっている。

※ 2019年7月14日の重要事項説明書等によるデータ

有 介護付有料老人ホーム レリーサポプラ

全48室

大阪府池田市東山町 546

【アクセス】阪急電鉄宝塚線「池田」駅より阪急バス「東山」下車、徒歩約 4 分
【運営会社】社会福祉法人池田さつき会
【利用料金】前払金 0 円～ 9,840,000 円、月額利用料 156,114 円～ 336,822 円

同法人は、系列の株式会社を加え、池田、箕面、豊中と北摂限定で施設、在宅を展開している地域密着型の法人。同一敷地内に特養、認知症ＧＨ、有料老人ホームがあり､スタッフ同士の交流も盛ん。スタッフの定着率の高さとスキルの高さは評判。食事とアクティビティに力を入れている。比較的軽度の入居者を対象に専用カルチャークラブ「ベルデクラブ」を立ち上げて、書道・手芸・パン・お菓子作り等豊富なアクティビティメニューを提供。また、館内に系列の診療所を設置しており看取り能力も高く、軽度のうちに入居し終の棲家として安心して過ごせるホーム。

▼ハード面の充実

居室の広さ	共用施設の充実	グループケアの実施	浴室環境の充実
○	○	○	◎

▼ソフト面の充実

食事の評判の良さ	食費が要介護者対象のホームとしては高額だが、メニューの選択ができたり、味付け・食べやすさ等に工夫を実施。
手厚い人員配置	契約上は要介護者 2 人に対し直接処遇職員 1 人配置だが、実際はそれ以上を配置。
職員定着率が高い	昨年度の離職率は 15% 以下。スタッフの定着率が高く、若手からベテランまでまんべんなく配置。
介護福祉士率	介護職員に占める介護福祉士取得者率が 50% 以上。スキルの高いスタッフが多い。
夜間職員の配置	介護職 3 名の夜間配置。定員 48 名に対する配置としては多い。
看取り能力	看護師は日中配置のみだが、併設の診療所の医師と看護師、介護職の連携で看取りを行っている。昨年は 9 名の看取りを実施。

▼相談員の評価

職員の接遇態度の良さ	理事長自ら率先してスタッフの接遇を指導。接遇態度の良さは評判。
ホーム長の受け入れに対する積極性	同一敷地内に医療依存度の高い方を受け入れる同系列のホーム。特別養護老人ホームもあることから施設長の受け入れに対する積極性は高い。

※ 2019 年 8 月 1 日の重要事項説明書等によるデータ

有 SOMPOケア ラヴィーレ池田

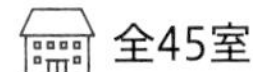

全45室

大阪府池田市井口堂 2-9-14

【アクセス】阪急電鉄宝塚線「石橋阪大前」駅より徒歩約 13 分
【運営会社】ＳＯＭＰＯケア株式会社
【利用料金】詳細は同社 HP を参照

施設を建て替えて池田市内に移転し、居室の広さと共用施設がより充実した。スタッフ教育に力を入れており、その効果が顕著に出ている。ホーム長以下、スタッフの雰囲気が明るく、接遇態度の良さに評判がある。スタッフの定着率も高く、ベテラン職員が多い。

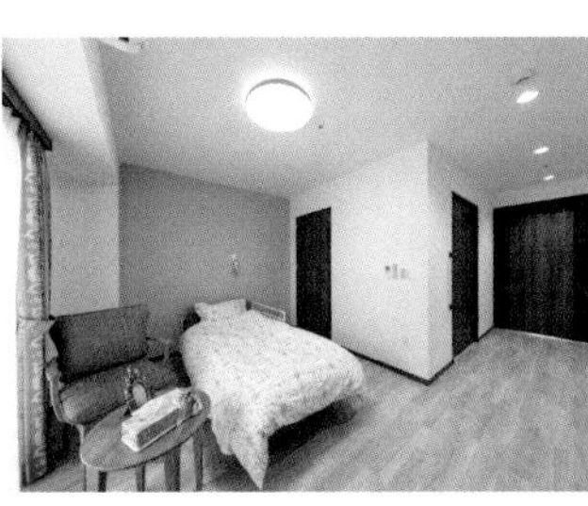

▼ ハード面の充実

居室の広さ	共用施設の充実	グループケアの実施	浴室環境の充実
○			◎

▼ ソフト面の充実

手厚い人員配置	契約上は要介護者 3 人に対し直接処遇職員 1 人配置だが、実際はそれ以上を配置。
職員定着率が高い	昨年度の離職率は 5 % 以下と、スタッフの定着率が高い。経験数 5 年以上のスタッフが全体の 7 割を占める。
看取り能力	4 つの訪問診療医や介護職との連携による看取り体制を構築している。昨年の看取り数は 4 名。

▼ 相談員の評価

職員の接遇態度の良さ	充実したスタッフ教育により、接遇態度の評判が高い。

※ 2019 年 8 月 1 日（旧そんぽの家）の重要事項説明書等によるデータ

有 グッドタイム リビング 大阪ベイ

全93室

大阪府大阪市港区弁天 1-3-3

【アクセス】Osaka Metro 地下鉄中央線「弁天町」駅より徒歩約 1 分
【運営会社】グッドタイムリビング株式会社
【利用料金】多様な料金制度のため詳細は同社 HP にてご確認ください

弁天町駅からすぐの好立地にあり、建物内に内科、皮膚科、眼科、整形外科等の入るクリニックモールやスーパーマーケットもあるため便利な暮らしが楽しめる。「グッドタイムクラブ」と銘打ち、運動系、音楽系、文化系と日々多様なアクティビティ活動が楽しめるクラブ活動は、新型コロナ感染症発生以降も工夫を凝らした活動を継続している。比較的介護度の軽い方が日々の生活を安心して楽しめるホーム。

▼ ハード面の充実

居室の広さ	共用施設の充実	グループケアの実施	浴室環境の充実
○		○	◎

▼ ソフト面の充実

食事の評判の良さ	質の良い素材をそろえ、見栄え良く盛り付けた栄養バランスの良いメニューが評判。
職員定着率が高い	昨年度の離職率は 10%以下と、職員の定着率が高い。
介護福祉士率	介護職員に占める介護福祉士取得者率は 50% 強であり、スキルが高い。
夜間職員の配置	夜間 5 人体制で充実。
看取り能力	日中配置の看護師と、介護職員指導や医療機関提携の医師とで看取り体制を構築。
情報発信力	施設のブログは頻繁に更新しており、情報発信に力を入れている。

▼ 相談員の評価

職員の接遇態度の良さ	入居者をゲストと呼ぶ等接遇教育に力を入れている。ホテルライフのような感覚で過ごすことができる接遇サービスを提供。
ホーム長の受け入れに対する積極性	困難事例でも「受け入れてみよう」を前提とし、前向きな受け入れ姿勢があり、評判が良い。
アクティビティ活動の充実	VR を用いてダイビングや花火大会の疑似体験ができるアクティビティ活動が好評。
居心地の良さ	スタッフの接遇態度が良好で居心地が良い。さらにシックで高級感ある内装が寛ぎの時間を与えてくれる。

※ 2019 年 10 月 1 日の重要事項説明書等によるデータ

有 チャーム 東淀川豊里

大阪府大阪市東淀川区豊里 5-23-22

全53室

【アクセス】Osaka Metro 地下鉄今里筋線「だいどう豊里」駅より徒歩約５分
【運営会社】株式会社チャーム・ケア・コーポレーション
【利用料金】入居一時金０円、月額利用料 191,720 円

夏には花火大会を開催する等、アクティビティ活動が盛ん。ほかにも流しそうめん、生花アレジメントといった入居者参加型イベントが多い。女性ホーム長を中心に、若手スタッフが多く、接遇態度の良さも評価されている。ソフト面の工夫によって居心地の良い空間をつくりだしているホーム。

▼ ハード面の充実

居室の広さ	共用施設の充実	グループケアの実施	浴室環境の充実
○		○	◎

▼ ソフト面の充実

手厚い人員配置	契約上は要介護者３人に対し直接処遇職員１人配置だが、実際は 1.5 名を配置。
看取り能力	看護師は日中配置だが、オンコール体制により看取りの対応。昨年の看取り数は８名。
情報発信力	施設のブログは頻繁に更新しており、情報発信に力を入れている。

▼ 相談員の評価

職員の接遇態度の良さ	同社はスタッフに対する接遇教育に力を入れており、接遇態度の良さは各ホーム共通。
ホーム長の受け入れに対する積極性	ホーム長、介護職員、看護職員が一体となり運営しているため、重度の要介護者でも受け入れ可能。
アクティビティ活動の充実	系列ホーム同士で競い合って活動しており、活動内容は他ホームの見本となっている。
居心地の良さ	ホーム長の運営姿勢やソフト面の充実が、居心地の良い空間をつくりだしている。

※ 2019 年 10 月 1 日の重要事項説明書等によるデータ

有 交欒森ノ宮

大阪府大阪市中央区森ノ宮中央 2-6-16

全48室

【アクセス】JR 大阪環状線「森ノ宮」駅より徒歩約 7 分
【運営会社】株式会社ユニマット リタイアメント・コミュニティ
【利用料金】〈A1 タイプ／入居一時金方式〉入居時費用 8,800,000 円、月額利用料 256,640 円　※詳細は同社 HP を参照

森ノ宮駅から徒歩約 7 分、もりのみやキューズモール BASE にも近いため買い物等が楽しめる。24 時間看護師が常駐しているため医療対応力があり、理学療法士、作業療法士、言語聴覚士の配置でリハビリ力も高い。素材や盛り付けにこだわった食事は、和食レストランを経営する事業者が提供しており評判が良い。毎朝 1 杯出される「出汁」が好評。

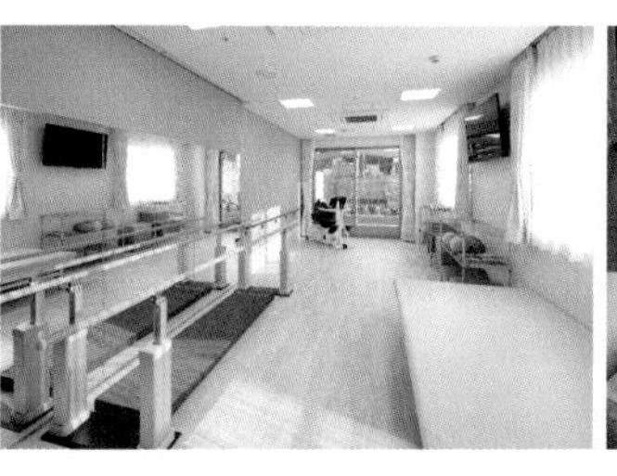

▼ ハード面の充実

居室の広さ	共用施設の充実	グループケアの実施	浴室環境の充実
◎	○		◎

▼ ソフト面の充実

食事の評判の良さ	和食店経営の事業者に委託した食事は素材にこだわり見た目にも美しい。毎朝、全員に「出汁」を提供している。
手厚い人員配置	契約上は要介護者 2.5 人に対し直接処遇職員 1 人配置だが、実際はそれ以上を配置。
医療対応力	24 時間看護師が常駐し、提携医療機関との連携関係も強い。医療依存度の高い方の受け入れも可能。
介護福祉士率	介護職員に占める介護福祉士取得者率は 75% 程度。スキルが高いスタッフを配置。
リハビリ力	専門の理学療法士、作業療法士、言語聴覚士を配置し、入居者に合った最適なリハビリを提供。
看取り能力	24 時間駐在の看護師と、介護職員、提携医療機関の医師が連携し看取り体制を構築。

▼ 相談員の評価

職員の接遇態度の良さ	業界大手が経営しており、会社全体で接遇教育に力を入れているため接遇態度は良好。
居心地の良さ	都心立地で気軽に買い物を楽しめる。看護職、リハビリ専門職も多く、安心して暮らせる住環境。

※ 2020 年 7 月 8 日の重要事項説明書等によるデータ

有 チャーム東淀川瑞光

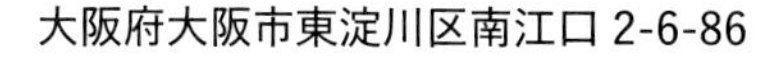

大阪府大阪市東淀川区南江口 2-6-86

全46室

【アクセス】Osaka Metro 地下鉄今里筋線「瑞光四丁目」駅より徒歩約 6 分
【運営会社】株式会社チャーム・ケア・コーポレーション
【利用料金】入居一時金 0 円、月額利用料 181,090 円～ 189,090 円

アクティビティ活動に力を入れており、喫茶店イベントや落語会、外出レクリエーション等入居者が楽しめるイベントが評価されている。近隣にある同系列のチャーム 東淀川豊里とは切磋琢磨し合う協力関係にある。職員の良好な接遇態度、ホーム長の受け入れへの積極性、アクティビティ活動の充実具合等が似ており、どちらかのホームが満室であれば、お互いに紹介し合う。

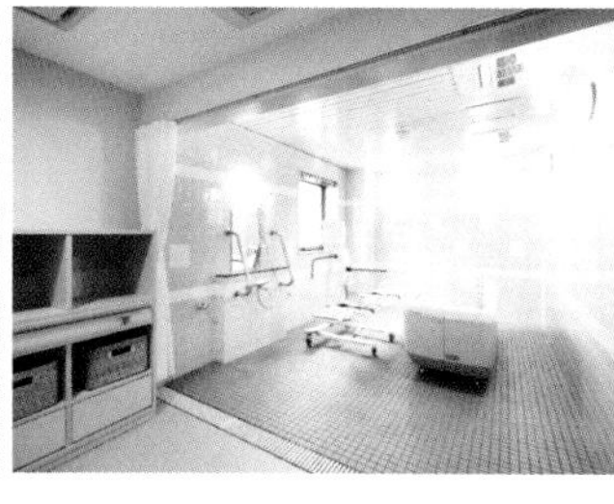

▼ ハード面の充実

居室の広さ	共用施設の充実	グループケアの実施	浴室環境の充実
○		○	◎

▼ ソフト面の充実

手厚い人員配置	契約上は要介護者 3 人に対し直接処遇職員 1 人配置だが、実際はそれ以上を配置。
看取り能力	看護師は日中配置だが、オンコール体制の構築により看取りに対応。昨年の看取り数は 9 名。
情報発信力	施設のブログは頻繁に更新しており、情報発信に力を入れている。

▼ 相談員の評価

職員の接遇態度の良さ	同社はスタッフに対する接遇教育に力を入れており、接遇態度の良さは各ホーム共通。
ホーム長の受け入れに対する積極性	ホーム長、介護職員、看護職員が一体となって運営しており、重度の要介護者でも受け入れ可能。
アクティビティ活動の充実	系列ホーム同士で競い合って活動しており、活動内容が充実している。

※ 2019 年 10 月 1 日の重要事項説明書等によるデータ

㋚ SOMPOケア そんぽの家S淡路駅前

全137室

大阪府大阪市東淀川区淡路 3-20-26

【アクセス】阪急電鉄京都線・Osaka Metro 地下鉄堺筋線「淡路」駅より徒歩約５分
【運営会社】ＳＯＭＰＯケア株式会社
【利用料金】〈月払いプラン〉敷金０円、月額利用料 153,000 円～168,000 円（税込）

広い居室内にキッチンと浴室が備わっているのが特長で、入居者はまるでワンルームマンションで暮らすように、自分のペースで生活を楽しむことができる。24 時間スタッフが常駐し、介護、生活、医療等各種サポートも充実している。阪急淡路駅から徒歩約５分の立地も魅力的な、軽度の要介護者にお勧めのホーム。

▼ハード面の充実

居室の広さ	共用施設の充実	グループケアの実施	浴室環境の充実
◎			◎

▼ソフト面の充実

職員定着率が高い	昨年度離職したスタッフはほぼおらず、職員の定着率が高い。
介護福祉士率	介護職員に占める介護福祉士取得者率が 50% 強と、スキルの高い人員配置。
情報発信力	施設のブログは頻繁に更新しており、情報発信に力を入れている。

▼相談員の評価

職員の接遇態度の良さ	自社の研修所設備をもち、接遇教育に特に力を入れた教育体制を取っている。

※ 2019 年 2 月 20 日の重要事項説明書等によるデータ

有 チャーム 新大阪淡路

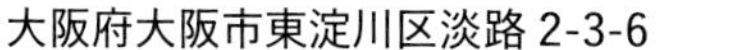

大阪府大阪市東淀川区淡路 2-3-6

全135室

【アクセス】阪急電鉄京都線・千里線「淡路」駅より徒歩約 8 分
【運営会社】株式会社チャーム・ケア・コーポレーション
【利用料金】入居一時金 0 円、月額利用料 211,340 円～ 221,340 円
※他プラン有、詳細は同社 HP を参照

地元の基幹病院である淀川キリスト教病院および同院の訪問看護ステーションと連携しているため、もしもの場合でも安心感がある。医療依存度の高い人の受け入れにも積極的で、看取り能力も高い。開放感のある最上階ダイニングからは大阪市内の景色が一望でき、眼下に広がる街を眺めながらの食事を堪能できる。

▼ ハード面の充実

居室の広さ	共用施設の充実	グループケアの実施	浴室環境の充実
○			◎

▼ ソフト面の充実

看取り能力	看護師は日中配置だがオンコール体制を構築し、昨年の看取り数は 6 名。
情報発信力	施設のブログは頻繁に更新しており、情報発信に力を入れている。

▼ 相談員の評価

職員の接遇態度の良さ	同社はスタッフに対する接遇教育に力を入れており、接遇態度の良さは各ホーム共通。
アクティビティ活動の充実	大型ホームならではの大規模アクティビティ活動を実施している。系列ホームと競い合っての活動も盛ん。
居心地の良さ	最上階に設置されたダイニングルームからは、大阪市内の景色を見下ろしながら食事ができる。

※ 2019 年 12 月 31 日の重要事項説明書等によるデータ

㋚ 一家団蘭あさひ

大阪府大阪市旭区中宮 4-13-13

全29室

【アクセス】Osaka Metro 地下鉄谷町線「千林大宮」駅より徒歩約 11 分
【運営会社】株式会社 １９８３
【利用料金】敷金 100,000 円、月額利用料［月払い方式］94,000 円〜
※詳細は同社 HP を参照

日本シニア住宅相談員協会の会員に評判の高いホーム。ホーム長を入居者・スタッフの選挙で選出したり、入居者がレクリエーションに参加したりホームの仕事をお手伝いした場合に「だん」という館内通貨がもらえ、外出同行等の保険外サービスを受けられるのも好評。スタッフも明るく、入居者とスタッフが近い関係を築けている。24 時間看護師配置で医療対応力や看取り能力が高いのも魅力。

▼ ハード面の充実

居室の広さ	共用施設の充実	グループケアの実施	浴室環境の充実
○			◎

▼ ソフト面の充実

医療対応力	24 時間看護師常駐なので医療依存度の高い方でも安心。
夜間職員の配置	夜間 3 人体制。
看取り能力	24 時間看護師常駐で看取り対応。

▼ 相談員の評価

職員の接遇態度の良さ	明るい笑顔のスタッフが多く、入居者との距離も近い。
ホーム長の受け入れに対する積極性	入居者・スタッフの選挙により選ばれた「家長」は困難事例でも積極的に相談に乗ってくれる。
認知症対応力	スタッフと入居者の関係が近く濃密。スタッフが入居者のことをよく理解しているため認知症対応力は高い。
アクティビティ活動の充実	月〜土曜はスタッフが工夫を凝らしたレクを毎日実施している。毎回テーマ（例：笑い）があり、好評。
居心地の良さ	若手中心の明るいスタッフと入居者の関係が良好で、居心地の良い空間をつくりだしている。

※ 2019 年 12 月 10 日の重要事項説明書等によるデータ

有 ツクイ・サンシャイン南巽

大阪府大阪市生野区巽中 4-4-16

全50室

【アクセス】Osaka Metro 地下鉄千日前線「南巽」駅より徒歩約 5 分
【運営会社】株式会社ツクイ
【利用料金】前払金 3,700,000 円～ 6,700,000 円、月額利用料 136,600 円～ 166,600 円　※他プラン有、詳細は同社 HP を参照

週 2 回以上のリハビリを行う等、リハビリ専門職による個別リハビリを実施している。スタッフ一人ひとりが正しい知識を習得し、行動できる人財になるための人財育成プログラムでサービスの質の向上に努めている。職員の接遇態度が良く、顧客満足度調査では“明るい笑顔で元気がいい”と評価も高い。入居者の心身の状態に合わせて調理された食事も好評。

▼ハード面の充実

居室の広さ	共用施設の充実	グループケアの実施	浴室環境の充実
○			◎

▼ソフト面の充実

食事の評判の良さ	要介護者が完食できるよう味付けを工夫した食事は、関連会社で管理栄養士がメニューを作成してホームで調理スタッフが作る。
介護福祉士率	介護職員に占める介護福祉士取得者率が 70% 強と、スキルの高い職員を配置。
リハビリ力	専任の言語聴覚士を配置して個別リハビリを実施。

※ 2020 年 4 月 1 日の重要事項説明書等によるデータ

サ センチュリーシティ都島

大阪府大阪市都島区善源寺町 2-2-88

全66室

【アクセス】Osaka Metro 地下鉄谷町線「都島」駅より徒歩約 7 分
【運営会社】株式会社センチュリーライフ
【利用料金】多様な料金制度のため詳細は同社 HP にてご確認ください

「やさしい風」というサービスコンセプトをモットーに日々の暮らしをサポートしている。看護師は 24 時間常駐で、リハビリ職員や協力医療機関医師との信頼関係を築いているためサービス提供体制に安心感がある。重度の要介護者にもお勧めの施設。「老化遅延の食事プログラム」を基本とした食事は、「健康の維持」と「食の楽しみ」の両方に配慮されており、大手事業者では珍しい自家調理となっている。広々と設計された高級感のある調度品をそろえたハード面も好評。

▼ ハード面の充実

居室の広さ	共用施設の充実	グループケアの実施	浴室環境の充実
◎		○	◎

▼ ソフト面の充実

食事の評判の良さ	自家調理の食事は「老化遅延の食事プログラム」を基本に、「健康の維持」と「食の楽しみ」に配慮されている。
手厚い人員配置	契約上は要介護者 2 人に対し直接処遇職員 1 人配置だが、実際はそれ以上を配置。
医療対応力	24 時間看護師が常駐。提携医療機関との連携も強く、医療依存度の高い方も受け入れている。
リハビリ力	専門のリハビリ職員（理学療法士）のもと個別リハビリを実施している。
夜間職員の配置	夜間 3 人体制。
看取り能力	24 時間常駐の看護師と、介護職員や協力医療機関医師による看取り体制を構築。昨年の看取り数は 11 名。

※ 2020 年 4 月 1 日の重要事項説明書等によるデータ

有 ベルパージュ大阪上本町

大阪府大阪市天王寺区筆ケ崎町 5-52

全121室

【アクセス】近畿日本鉄道「大阪上本町」駅より徒歩約 10 分
【運営会社】株式会社かんでんジョイライフ
【利用料金】多様な料金制度のため詳細は同社 HP にてご確認ください

大阪赤十字病院に隣接しており、ホーム内に内科、眼科、皮膚科、耳鼻咽喉科、整形外科等の医療モールが併設されている。見守り支援システム「JSEEQ-Care」を導入する等、都心で自由に暮らしつつ安心感も欲しいという自立高齢者向けのホーム。難波や鶴橋等、大阪を代表する繁華街に近く、近隣には近鉄百貨店のような商業施設が多数ある。大阪上本町駅から徒歩約 10 分と、アクセスも良い。

▼ ハード面の充実

居室の広さ	共用施設の充実	グループケアの実施	浴室環境の充実
○		○	◎

▼ ソフト面の充実

手厚い人員配置	契約上は要介護者約 2.5 人に対し直接処遇職員 1 人配置だが、実際はそれ以上を配置。1 対 1 以上の配置を行う特別介護居室もある。
職員定着率が高い	昨年度の離職率は 20%以下であり、職員の定着率が高い。
介護福祉士率	介護職員に占める介護福祉士取得者率が 80% 弱。スキルの高い職員を配置。経験 5 年以上のベテランスタッフが多い。
夜間職員の配置	夜間 5 人体制で充実。
看取り能力	看護師は日中配置であり、介護職員と連携した看取り体制を構築。昨年は 8 名の看取りを実施した。

▼ 相談員の評価

職員の接遇態度の良さ	スタッフの接遇態度の良さが評価されている。
居心地の良さ	大阪赤十字病院に隣接している。ホーム内には医療モールが設置され、安心感が居心地の良さを生んでいる。

※ 2020 年 7 月の重要事項説明書等によるデータ

有 コンシェール阿倍野

大阪府大阪市阿倍野区旭町 1-3-11

全88室

【アクセス】Osaka Metro 地下鉄「天王寺」駅より徒歩約 4 分、JR「天王寺」駅より徒歩約 7 分
【運営会社】株式会社リエイ
【利用料金】多様な料金制度のため詳細は同社 HP にてご確認ください

「癒食同源」を運営理念とし、薬膳料理とアーユルヴェーダ理念に基づくマッサージを提供している。館内の調度品はアジアンテイストで統一し、デザインや家具にまでこだわった館内には充実の共有施設が備わっている。フロアは要介護者向けと自立者向けに分かれている。地下鉄の天王寺駅から徒歩約 4 分、近隣にはあべのハルカスや商業施設がある等暮らしにも便利。都心ライフを送りたい自立者にぴったり。

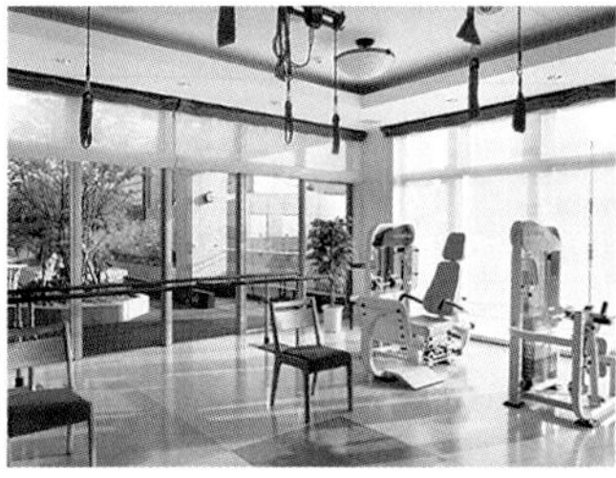

▼ ハード面の充実

居室の広さ	共用施設の充実	グループケアの実施	浴室環境の充実
◎	○	○	◎

▼ ソフト面の充実

食事の評判の良さ	運営母体が給食会社であり食事に力を入れている。「癒食同源」をうたい、薬膳料理を提供。
手厚い人員配置	契約上は要介護者 2.5 人に対し直接処遇職員 1 人配置だが、実際はそれ以上を配置。
介護福祉士率	介護職員に占める介護福祉士取得者率が 70% 弱と、職員のスキルが高い。
夜間職員の配置	夜間 6 人体制で充実。
看取り能力	日中配置の看護師と、介護職員や提携医療機関の医師とで看取り体制を構築。

▼ 相談員の評価

職員の接遇態度の良さ	スタッフの接遇教育には特に力を入れており、入居者にとって気持ちの良い対応を実施している。

※ 2019 年 10 月 19 日の重要事項説明書等によるデータ

ベルパージュ大阪帝塚山

大阪府大阪市住吉区万代 3-6-23

全103室

【アクセス】阪堺電気軌道上町線「帝塚山三丁目」駅より徒歩約 5 分
【運営会社】株式会社かんでんジョイライフ
【利用料金】多様な料金制度のため詳細は同社 HP にてご確認ください

大阪の繁華街である難波や天王寺にほど近い、閑静な住宅街の帝塚山に立地している。帝塚山三丁目駅から徒歩約 5 分と、アクセスが良い。診療所が併設されている建物には高級感があり、“帝塚山ブランド”にもマッチしている。ホームでの生活に縛られず、外向きに都心ライフを楽しみつつ、安心感を求めたい自立入居者向けのホーム。

▼ ハード面の充実

居室の広さ	共用施設の充実	グループケアの実施	浴室環境の充実
○			◎

▼ ソフト面の充実

手厚い人員配置	契約上は要介護者約 2.5 人に対し直接処遇職員 1 人配置だが、実際はそれ以上を配置。
介護福祉士率	介護職員に占める介護福祉士取得者率が 75% 程度と、職員のスキルが高い職員を配置。
夜間職員の配置	夜間 3 人体制。
看取り能力	日中配置の看護師と介護職員、館内診療所の医師が連携し看取り体制を構築。昨年は 6 名の看取りを実施。

▼ 相談員の評価

居心地の良さ	“帝塚山ブランド”にマッチした高級感ある建物は、入居者に居心地の良さを提供している。

※ 2020 年 8 月 1 日の重要事項説明書等によるデータ

有 SOMPOケア ラヴィーレ南堀江

大阪府大阪市西区南堀江 4-30-4

全120室

【アクセス】阪神電鉄なんば線「ドーム前」駅より徒歩約 7 分
【運営会社】ＳＯＭＰＯケア株式会社
【利用料金】〈前払金プラン／ 75 歳以上の場合〉4,800,000 円～ 7,800,000 円（非課税）、月額利用料 191,920 円（税込）
※他プラン有、詳細は同社 HP を参照

「普段の暮らしが、自然とリハビリになっていく。 心身ともに、いつまでも健やかな日々を」をモットーとし、リハビリ専門職とほかのスタッフが連携してリハビリを提供。ストレッチや筋力強化に効果のあるマシンを設置した専用のリハビリルームを設け、入居者が日毎元気になり、いきいきと暮らせるよう工夫をしている。個別リハビリでは入所前の病院で行っていたリハビリの継続も可能。日常生活自体がリハビリとなるよう、アクティビティ活動も実施している。リハビリ重視の入居者にお勧めのホーム。

▼ ハード面の充実

居室の広さ	共用施設の充実	グループケアの実施	浴室環境の充実
○			○

▼ ソフト面の充実

リハビリ力	リハビリ専門職を配置し、リハビリルームで個別リハビリを提供。
夜間職員の配置	夜間 4 人体制。
看取り能力	日中配置の看護師と、介護職員や提携医療機関の医師とで看取り体制を構築。
情報発信力	施設のブログは頻繁に更新しており、情報発信に力を入れている。

▼ 相談員の評価

職員の接遇態度の良さ	教育部門を設けベテランスタッフによる教育を実施。接遇教育に力を入れている。

※ 2019 年 10 月 15 日の重要事項説明書等によるデータ

有 SOMPOケア ラヴィーレ弁天町

大阪府大阪市港区市岡 1-2-24

全128室

【アクセス】JR 大阪環状線・Osaka Metro 地下鉄中央線「弁天町」駅より徒歩約 8 分
【運営会社】ＳＯＭＰＯケア株式会社
【利用料金】〈前払いプラン／75 歳以上の場合〉前払金 4,800,000 円～ 7,800,000 円（非課税）、月額利用料 191,720 円（税込）
※他プラン有、詳細は同社 HP を参照

専用のリハビリルームで専門職（理学療法士）の個別リハビリを提供。日々の生活をリハビリという視点から支援。もちろん毎日の健康をしっかりと見守れるように、看護スタッフや医師との連携も万全。都心立地のなかにも緑を意識した屋上庭園や中庭を配置。日常的なリハビリを兼ねての散歩にも活用されている。リハビリを必要とされている要介護の入居者にお勧めのホーム。

▼ ハード面の充実

居室の広さ	共用施設の充実	グループケアの実施	浴室環境の充実
○			○

▼ ソフト面の充実

介護福祉士率	介護職員に占める介護福祉士取得者率が 80% 以上。スキルの高い職員を配置。
リハビリ力	リハビリルームでリハビリ専門職による個別リハビリを提供。
夜間職員の配置	夜間 4 人体制。
看取り能力	日中配置の看護師と、介護職員や提携医療機関の医師とで看取り体制を構築。
情報発信力	施設のブログは頻繁に更新しており、情報発信に力を入れている。

▼ 相談員の評価

職員の接遇態度の良さ	教育部門を設けベテランスタッフによる教育を実施。接遇教育に力を入れている。
居心地の良さ	開放的な共用施設が居心地の良い空間をつくりだしている。

※ 2019 年 10 月 2 日の重要事項説明書等によるデータ

有 ライフェール

兵庫県伊丹市春日丘 3-27-2

全34室

【アクセス】阪急電鉄伊丹線「伊丹」駅より阪急バス「伊丹坂」下車、徒歩約 3 分
【運営会社】株式会社グッドライフ
【利用料金】多様な料金制度のため詳細は同社 HP にてご確認ください

ホーム横の広大な農園と庭園で自然と親しむことができる。館内の開放的なテラス付きの中庭には「やまぼうし」の樹が植えられ、その周囲でウサギが跳び回り、入居者の心を和らげている。ユニットケアの導入により認知症対応力が高く、ご家族と施設が一つのチームとなって認知症高齢者を支援している。家庭的な雰囲気のなかで、入居者それぞれの個性を大切にしているホーム。

▼ ハード面の充実

居室の広さ	共用施設の充実	グループケアの実施	浴室環境の充実
○		◎	◎

▼ ソフト面の充実

手厚い人員配置	契約上は要介護者 2 人に対し直接処遇職員 1 人配置だが、実際はそれ以上を配置。
介護福祉士率	介護職員に占める介護福祉士取得者率が 60% 強と高く、職員教育に力を入れている。
看取り能力	日中常駐の看護師に加え、介護職員と連携した看取り体制を構築している。昨年は 9 名の看取りを実施した。
情報発信力	施設のブログは頻繁に更新しており、情報発信に力を入れている。

▼ 相談員の評価

ホーム長の受け入れに対する積極性	ホーム長は困難事例でも前向きに相談に乗ってくれる。
認知症対応力	ユニットケアを実施しているため認知症対応力が高い。

※ 2019 年 7 月 1 日の重要事項説明書等によるデータ

有 サンシティパレス塚口

兵庫県伊丹市車塚 1-32-7

全731室

【アクセス】阪急電鉄神戸線「阪急塚口」駅より伊丹市営バス「車塚」下車、徒歩約 1 分
【運営会社】株式会社ハーフ・センチュリー・モア
【利用料金】多様な料金制度のため詳細は同社 HP にてご確認ください

広々とした専用居室や、ホテルさながらの共用空間で生活が楽しめる。おいしい食事と活発なクラブ活動に定評があり、自立時に入居してから看取りまで過ごせる自立者向けのホーム。介護職員の配置は手厚く、看取り能力も高い。館内にはクリニックが併設されており、それに加えて 24 時間常駐の看護師、リハビリ専門職員も配置されているため、万が一体調を崩しても安心。

▼ハード面の充実

居室の広さ	共用施設の充実	グループケアの実施	浴室環境の充実
◎	○		◎

▼ソフト面の充実

食事の評判の良さ	スキルの高い料理人をそろえているため、食事の満足度が高い。
手厚い人員配置	契約上は要介護者 1.5 人に対し直接処遇職員 1 人配置だが、実際はそれ以上を配置。
医療対応力	館内にクリニックを設置し、24 時間看護師配置。医療依存度の高い方も対応可能。
介護福祉士率	介護職員に占める介護福祉士取得者率は 90%弱。スキルの高い職員が多い。
リハビリ力	理学療法士や作業療法士が自立入居者に健康維持トレーニング、要介護者に個別リハビリを提供。
夜間職員の配置	夜間 4 人体制。
看取り能力	館内併設のクリニック医師と 24 時間常駐看護師による万全な看取り体制。昨年は 29 名の看取りを行った。

▼相談員の評価

職員の接遇態度の良さ	40 年続く自立型有料老人ホームの老舗。職員の接遇態度の良さには定評がある。
アクティビティ活動の充実	サンシティホールやクラブルーム等共用施設を活用した自立入居者向けのクラブ活動が好評。
居心地の良さ	高級ホテルのような豪華さに加え、おいしい食事と楽しいクラブ活動が入居者に満足感をもたらしている。

※ 2019 年 7 月 1 日の重要事項説明書等によるデータ

㋚ IYASAKA伊丹

兵庫県伊丹市野間北 1-8-34

全30室

【アクセス】阪急電鉄伊丹線「新伊丹」駅より徒歩約 25 分
【運営会社】株式会社 SHIFT
【利用料金】敷金 100,000 円、月額利用料 85,000 円～　※詳細は同社 HP を参照

阪神

伊丹／尼崎／猪名川／宝塚／西宮／芦屋

「生活サポート」+「介護サポート」+「医療サポート」という 3 つのサポートで入居者・入居者家族の安心を確保している。理念となる「入居者の日常に感動を与えることのできる施設」のとおり、スタッフの自由な意思や考え方をできる限り取り入れるというホームの姿勢は、スタッフ自身がいきいきと働ける環境づくりを構築している。イベントに力を入れており、月 1 回のイベントを充実させるためにホーム長やスタッフがさまざまな企画を提案。リーズナブルな価格に魅力があるホーム。

▼ ハード面の充実

居室の広さ	共用施設の充実	グループケアの実施	浴室環境の充実
○			◎

▼ ソフト面の充実

手厚い人員配置	入居者 2 名に対し 1 名程度の直接処遇職員を配置。
職員定着率が高い	昨年度の離職率は 20%以下であり、職員の定着率が高い。
医療対応力	館内に訪問介護を併設。看護師による医療サービスが提供可能。
看取り能力	訪問看護ＳＴの看護師と介護職員、提携医療機関の医師が連携することにより看取り体制を構築。

▼ 相談員の評価

ホーム長の受け入れに対する積極性	ホーム長は困難事例でも前向きに検討するという姿勢をもっている。
認知症対応力	「感動を与えることのできる施設」という理念どおりの手厚い対応を行う。認知症対応力が高いと評判。

※ 2020 年 8 月 13 日の重要事項説明書等によるデータ

有 チャーム 尼崎東園田

兵庫県尼崎市東園田町 5-61-1

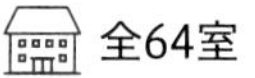

全64室

【アクセス】阪急電鉄神戸線「園田」駅より徒歩約５分
【運営会社】株式会社チャーム・ケア・コーポレーション
【利用料金】前払金０円～ 2,400,000 円、月額利用料 195,264 円～ 235,264 円

常に入居者ファーストという理念がある。それは、ケアに困難が伴う方であっても前向きに受け入れの議論を行う等、徹底されたものとなっている。入居者優先の考え方はアクティビティ活動にも表れており、新型コロナウイルス感染症が流行する前までは、積極的に外出を行う等、入居者の希望を叶えてきた。甲子園球場への野球観戦ツアーを実施したこともあるほど。また、ユニットケアにも力を入れており、認知症対応力も高く評価されている。

▼ ハード面の充実

居室の広さ	共用施設の充実	グループケアの実施	浴室環境の充実
○		◎	◎

▼ ソフト面の充実

手厚い人員配置	契約上は要介護者３人に対し直接処遇職員１人配置だが、実際はそれ以上を配置。
夜間職員の配置	介護職３名の夜間体制。
看取り能力	看護師は、日中配置。しかし、介護職や提携医療機関医師と連携、看取り体制を構築している。
情報発信力	施設のブログは頻繁に更新しており、情報発信に力を入れている。

▼ 相談員の評価

職員の接遇態度の良さ	同社はスタッフに対する接遇教育に力を入れており、接遇態度の良さは各ホーム共通。
ホーム長の受け入れに対する積極性	ホーム長は何事にも前向きで、困難事例でも相談に応じてくれる。
認知症対応力	ユニットケアを実施、認知症対応力は高い。
アクティビティ活動の充実	ホーム間で競うアクティビティ活動を実施。また、入居者のリクエストを重視した外出レクが特長である。
居心地の良さ	ユニットケア実施により、入居者とスタッフの距離が近く、ホームは明るい雰囲気が溢れている。

※ 2020 年４月１日の重要事項説明書等によるデータ

㋚ ナーシングケア ラウレート若王寺

全44室

兵庫県尼崎市若王寺 3-26-18

【アクセス】尼崎市内線阪急塚口行バス「城ノ堀」下車、徒歩約 5 分
【運営会社】医療法人社団青洲会
【利用料金】月額利用料 206,500 円（非課税） ※詳細は同社 HP を参照

地元医療法人グループ運営。グループ内に病院、クリニックを有しており、医療、介護との連携が強み。同グループでは、軽度要介護者向けとして、数件のサービス付き高齢者向け住宅を運営しており、それらのホームの医療依存度が高くなった方への受け皿にもなっている。24 時間看護師常駐で、看取り体制も申し分ない。リハビリ専門職も多くそろえ、入居者が良い状態をできるだけ長く維持できるよう、個別リハビリを熱心に実施している。重度の要介護者にお勧めのホーム。

▼ ハード面の充実

居室の広さ	共用施設の充実	グループケアの実施	浴室環境の充実
○			◎

▼ ソフト面の充実

職員定着率が高い	昨年度の離職者はほぼおらず、スタッフの定着率が高い。
介護福祉士率	介護職員に占める介護福祉士取得者率は 60% を超えており、スキルの高い職員がそろう。
医療対応力	24 時間看護師が常駐。提携医療機関の医師と連携し、医療行為に対応している。
リハビリ力	リハビリ専門職である、理学療法士等を配置。入居者の状況に合わせ、個別リハビリを提供している。
看取り能力	24 時間常駐の看護師、介護職員、グループ系列のクリニック医師と連携を取り、看取り体制は盤石である。

▼ 相談員の評価

ホーム長の受け入れに対する積極性	施設長がリハビリ専門職であり、医療面の理解が深く、医療依存度の高い方の受け入れにも積極的。

※ 2020 年 11 月 30 日の重要事項説明書等によるデータ

(有) グッドタイム リビング 尼崎新都心

全87室

兵庫県尼崎市潮江 1-3-34

【アクセス】JR 神戸線「尼崎」駅より徒歩約５分
【運営会社】グッドタイムリビング株式会社
【利用料金】多様な料金制度のため詳細は同社 HP にてご確認ください

JR 尼崎駅から徒歩約５分という都心の至便立地、周辺には商業施設や病院、医療モール等がありたいへん暮らしやすい環境。「ホテルライフ」を意識したホーム運営で、入居者をゲストと呼び、ライフスタイルを尊重。アクティビティ活動の充実も評判。入居者が加入する「グッドタイムクラブ」では運動系、文化系、音楽系、学習系のアクティビティ活動に自由に参加できる。食事も入居者からの評判が非常に高い。都心ライフを楽しみたいが安心感も欲しいという、軽度の要介護者にお勧めのホーム。

▼ ハード面の充実

居室の広さ	共用施設の充実	グループケアの実施	浴室環境の充実
○	○		◎

▼ ソフト面の充実

食事の評判の良さ	食事の評判が良く、管理栄養士による栄養バランスの良いメニューを毎食２種類から選択可能となっている。
介護福祉士率	介護職員に占める介護福祉士取得者率は 60% を超えており、スキルの高い職員がそろう。
情報発信力	施設のブログは頻繁に更新しており、情報発信に力を入れている。

▼ 相談員の評価

職員の接遇態度の良さ	入居者をゲストと呼ぶ等接遇教育に力を入れている。ホテルライフのような接遇サービスを提供。
アクティビティ活動の充実	アクティビティメニューが多いことで有名であり、入居者は参加したいメニューを選び、当日でも自由に参加できる。

※ 2020 年 11 月 6 日の重要事項説明書等によるデータ

㊒ グッドタイム リビング 尼崎駅前

全56室

兵庫県尼崎市御園町 27-3

【アクセス】阪神電鉄本線「尼崎」駅より徒歩約 2 分
【運営会社】グッドタイムリビング株式会社
【利用料金】多様な料金制度のため詳細は同社 HP にてご確認ください

阪神本線「尼崎」駅から徒歩約２分という至便立地にあり、食事の評判が非常に良いホーム。「ホテルライフ」を意識した運営は、入居者をゲストと呼び、ライフスタイルを尊重。自分らしい時間のなかで、自由に生活することができる。アクティビティ活動の充実も評判で、入居者が加入する「グッドタイムクラブ」では、運動系・文化系・音楽系・学習系から選択し、参加することができる。スタッフに頼るだけでなく、ＩＴ技術を利用した先進的な介護にも取り組んでいる。都心ライフを楽しみたいが安心感も欲しい、そんな軽度の要介護者にお勧めのホーム。

▼ ハード面の充実

居室の広さ	共用施設の充実	グループケアの実施	浴室環境の充実
○			◎

▼ ソフト面の充実

食事の評判の良さ	管理栄養士が提供するバランスの良いメニューを、毎食 2 種類から選択が可能である。
手厚い人員配置	住宅型有料老人ホームでありながら、要介護者 2 名に対し 1 人の直接処遇職員配置を実現。
職員定着率が高い	昨年度の離職率は 10%以下、定着率が高い。
リハビリ力	専門職（理学療法士）を配置、個別リハビリを提供している。
情報発信力	施設のブログは頻繁に更新しており、情報発信に力を入れている。

▼ 相談員の評価

職員の接遇態度の良さ	入居者をゲストと呼び、ホテルライフのような感覚で過ごしていただけるよう、サービスを提供している。
アクティビティ活動の充実	アクティビティメニューが非常に多く、入居者は一覧の表から参加したいものを自由に選択することができる。

※ 2020 年 11 月 5 日の重要事項説明書等によるデータ

阪神

伊丹／尼崎／猪名川／宝塚／西宮／芦屋

㊒ シニアスタイル尼崎

兵庫県尼崎市道意町 5-4

全57室

【アクセス】阪神電鉄本線「尼崎センタープール前」駅より徒歩約 3 分
【運営会社】株式会社シニアスタイル
【利用料金】入居時費用 0 円、月額利用料 200,000 円（税抜）

介護は満足、リハビリは希望、医療は安心と考え、きめ細かいサービスや個別リハビリ、看取りにこだわるホーム。医療機関並みのリハビリによるＡＤＬの維持を目標にしており、医師との連携による看取り能力は業界でも評判が高い。価格帯も安く、コストパフォーマンスが高いことで、常に入居待機者がおり、「終の棲家」として人気を博している。

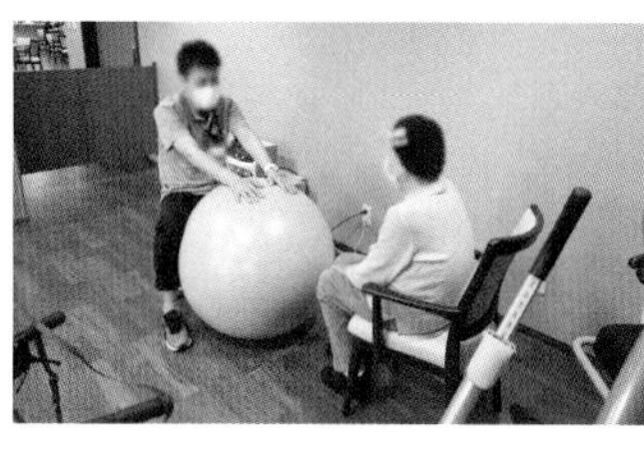

▼ ハード面の充実

居室の広さ	共用施設の充実	グループケアの実施	浴室環境の充実
	○		○

▼ ソフト面の充実

手厚い人員配置	住宅型有料老人ホームでありながら、要介護者約 2 人に対し 1 人の直接処遇職員配置を実現。
医療対応力	提携医療機関の医師や同社の訪問看護事業所と連携、医療依存度の高い入居者への対応も可能である。
介護福祉士率	介護職員に占める介護福祉士取得者率が 60% 弱であり、スキルの高い職員がそろう。
リハビリ力	専門のリハビリスタッフ（理学療法士、作業療法士）を配置、病院並みの個別リハビリが受けられる。
夜間職員の配置	介護職 3 名の夜間体制。
看取り能力	訪問看護事業所の看護師や介護職員、提携医療機関の医師と連携し看取り体制を構築している。
情報発信力	施設のブログは頻繁に更新しており、情報発信に力を入れている。

▼ 相談員の評価

職員の接遇態度の良さ	ホーム長が直接、スタッフ指導を実施。接遇態度は評判が良い。
アクティビティ活動の充実	リハビリを中心としたアクティビティ活動を実施。身体能力を取り戻すことを目標に、入居者の多くが参加している。
居心地の良さ	入居者とスタッフの関係が近く、たいへん居心地の良い空間をつくりだしている。

※ 2020 年 11 月 10 日の重要事項説明書等によるデータ

Ⓢ シニアスタイル武庫之荘

兵庫県尼崎市水堂町 1-34-4

全60室

【アクセス】JR 神戸線「立花」駅より徒歩約 12 分
【運営会社】株式会社シニアスタイル
【利用料金】入居時費用 0 円、月額利用料 225,000 円（税別） ※詳細は同社 HP を参照

阪神

伊丹／尼崎／猪名川／宝塚／西宮／芦屋

医療機関並みの個別リハビリに力を入れているホーム。入居者が楽しんで活動を行うということを大切にし、身体能力を取り戻すことを目標にしている。看取りにもこだわっており、自社運営の訪問看護ステーション、提携医療機関の医師により多くの看取りを実施。また、スタッフと入居者がフレンドリーな関係を保つことにより、居心地の良い明るい空間がつくりあげられている、尼崎の人気ホーム。

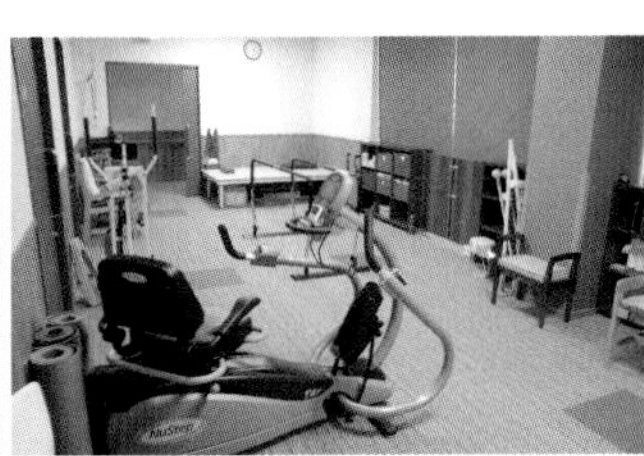

▼ ハード面の充実

居室の広さ	共用施設の充実	グループケアの実施	浴室環境の充実
○		○	◎

▼ ソフト面の充実

手厚い人員配置	住宅型有料老人ホームでありながら、要介護者約 2 名に対し 1 人程度の手厚い直接処遇職員配置を実現。
職員定着率が高い	昨年度の離職率は 10%強、定着率が高い。
医療対応力	提携医療機関の医師や訪問看護事業所と連携。医療依存度の高い入居者への対応も可能。
リハビリ力	専門のリハビリ職員（理学療法士、作業療法士）を配置、医療機関並みの個別リハビリを提供している。
夜間職員の配置	介護職 3 名の夜間体制。
看取り能力	訪問看護事業所の看護師、介護職員、提携医療機関の医師と連携し、看取り体制を構築。看取り能力は相当高い。
情報発信力	施設のブログは頻繁に更新しており、情報発信に力を入れている。

▼ 相談員の評価

職員の接遇態度の良さ	入居者とスタッフがフレンドリーな関係を構築、明るい雰囲気のホーム運営。
アクティビティ活動の充実	リハビリを中心としたアクティビティ活動を実施。「でき得る限りの身体能力を取り戻すこと」を目標に入居者の多くが参加している。
居心地の良さ	入居者と職員の関係が近く、居心地の良い空間をつくりだしている。

※ 2020 年 11 月 11 日の重要事項説明書等によるデータ

Ⓢ ラウレート武庫川

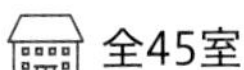

兵庫県尼崎市武庫川町 1-9

全45室

【アクセス】阪神電鉄本線「武庫川」駅より徒歩約 9 分
【運営会社】株式会社アルスタック
【利用料金】敷金 308,000 円、月額利用料 142,000 円
多様な料金制度のため詳細は同社 HP にてご確認ください

地元の医療法人グループが運営。病院やクリニックを有しており、医療、介護ともに連携が強いホーム。立地も良く、駅から徒歩約 9 分であるものの、低価格帯という点も魅力となっている。地元に開かれたホームを目指し、定期的な勉強会やセミナーを地域に向けて実施。食事においても自前調理による、栄養価を考えたメニューを提供。入居者からの評判も上々である。建物は、これといった派手さや高級感はないが、おしゃれな内装と調度品が自慢。重度要介護者から、高い人気を集めている。

▼ ハード面の充実

居室の広さ	共用施設の充実	グループケアの実施	浴室環境の充実
○			◎

▼ ソフト面の充実

手厚い人員配置	契約上は要介護者 3 人に対し直接処遇職員 1 人配置だが、実際はそれ以上を配置。
介護福祉士率	介護職員に占める介護福祉士取得者率が 65% 強。スキルの高い職員が多い。
医療対応力	24 時間看護師常駐なので医療依存度の高い方でも安心。
看取り能力	24 時間常駐の看護師、介護職員、グループ系列のクリニック医師との連携で看取り体制は盤石。

※ 2020 年 9 月 15 日の重要事項説明書等によるデータ

有 レインボーハイツ

兵庫県川辺郡猪名川町伏見台 1-1-24

全128室

【アクセス】能勢電鉄「日生中央」駅より徒歩約 5 分
【運営会社】株式会社生駒コーポレーション
【利用料金】多様な料金制度のため詳細は同社 HP にてご確認ください

自立者向け高級老人ホームとして 30 年以上の実績。長い年月で培ってきた知識や経験を礎に、“快適と思いやりのある生活空間”を入居者に提供している。特に旬の食材を取り入れた自家調理の食事は好評で、入居者に「家庭のような温もり」を感じ取ってもらうべく、毎日真心を込めている。また、毎月大きなイベントを 1 回実施し、入居者に向けて楽しみの場を用意している。

▼ ハード面の充実

居室の広さ	共用施設の充実	グループケアの実施	浴室環境の充実
	○		◎

▼ ソフト面の充実

食事の評判の良さ	自立者向け有料老人ホームでは珍しく自社調理。旬の食材で作る食事は、味や栄養バランスにこだわり、人気が高い。
手厚い人員配置	契約上は要介護者 2.5 人に対し直接処遇職員 1 人配置だが、実際はそれ以上を配置。
職員定着率が高い	昨年度の離職率は 10%以下であり、職員の定着率が高い。
介護福祉士率	介護職員に占める介護福祉士取得者率が 70% 程度と、スキルの高い職員が多い。
リハビリ力	リハビリ専門職の理学療法士を配置し、個別リハビリを行っている。
看取り能力	日中常駐の看護師に加え、介護職員や生駒病院とも連携した看取り体制を構築。昨年は 6 名の看取りを実施した。

▼ 相談員の評価

職員の接遇態度の良さ	長年の高級有料老人ホーム運営で培った接遇力は評判が良い。
居心地の良さ	高級感のあるハード、職員の接遇態度の良さもあり、居心地の良い空間を提供している。

※ 2020 年 11 月の重要事項説明書等によるデータ

有 トラストガーデン宝塚

兵庫県宝塚市花屋敷つつじガ丘 4-11　全89室

【アクセス】阪急電鉄宝塚線「雲雀丘花屋敷」駅より徒歩約 15 分
【運営会社】トラストガーデン株式会社
【利用料金】多様な料金制度のため詳細は同社 HP にてご確認ください

自立高齢者にお勧めのホーム。看取りまで住み慣れた居室で過ごせることが大きな特長。リゾートトラストグループの料理飲料部門が全面的にバックアップし、毎食の献立は好評。雲雀丘花屋敷の高台に位置したホームからは、最寄り駅等への送迎バスが運行されている。職員教育と職員の定着率の高さは業界でも屈指。

▼ハード面の充実

居室の広さ	共用施設の充実	グループケアの実施	浴室環境の充実
	○		◎

▼ソフト面の充実

食事の評判の良さ	経験豊富なプロが"飽きのこない"変化に富んだ献立を日々提供。食事の評判は他のホームを圧倒している。
手厚い人員配置	契約上は要介護者 2 人に対し直接処遇職員 1 人配置だが、実際はそれ以上を配置。
職員定着率が高い	昨年度の離職率は 10% 強と職員の定着率が高い。若手職員、ベテラン職員をバランス良く配置。
医療対応力	24 時間常駐の看護師に加え、提携医療機関医師との連携による医療体制を実施。
介護福祉士率	介護職員に占める介護福祉士取得者率が 70% 強。スキルの高い職員が多い。
夜間職員の配置	介護職 2 名、看護師 1 名の計 3 名。
看取り能力	24 時間看護体制により看取りに対応。昨年は 13 名の看取りを実施。

▼相談員の評価

職員の接遇態度の良さ	関西の自立者向け高級老人ホーム老舗。リゾートトラストグループ入りしたことで接遇態度の良さはさらに高まっている。
ホーム長の受け入れに対する積極性	自立者向けのホームだが、要介護者の入居相談も可能。
居心地の良さ	高級感のあるハード、職員の接遇態度、看取りまで居室で過ごせる安心感等、居心地の良い空間を提供。

※ 2019 年 11 月 25 日の重要事項説明書等によるデータ

有 チャームスイート宝塚中山

全52室

兵庫県宝塚市中筋 8-24-15

【アクセス】JR 宝塚線「中山寺」駅より徒歩約 8 分
【運営会社】株式会社チャーム・ケア・コーポレーション
【利用料金】前払金 0 円～ 6,000,000 円、月額利用料 192,240 円～ 292,240 円
※詳細は同社 HP を参照

阪神

伊丹／尼崎／猪名川／宝塚／西宮／芦屋

高級感のあるたたずまいとアーチは宝塚大劇場を意識している。1階には広々としたリビング・ダイニングを備え、各階にカフェスペースを置く等共用施設が充実。入居者には施設ではなく家と感じてもらえるよう、スタッフは温もりのある「ホーム（住まい）」を目指した接遇を心掛ける。アクティビティ活動が盛んで、楽しい時間を過ごすことができる。近隣にはカフェ等飲食店も多い。

▼ハード面の充実

居室の広さ	共用施設の充実	グループケアの実施	浴室環境の充実
○			◎

▼ソフト面の充実

手厚い人員配置	契約上は要介護者 3 人に対し直接処遇職員 1 人の配置だが、実際は 1.5 名配置。
職員定着率が高い	昨年度の離職率は 20％弱となっており、職員の定着率が高い。
看取り能力	看護師は日中配置だが、介護職、提携医療機関医師と連携し看取り体制を構築。
情報発信力	施設のブログは頻繁に更新しており、情報発信に力を入れている。

▼相談員の評価

職員の接遇態度の良さ	同社はスタッフに対する接遇教育に力を入れており、接遇態度の良さは各ホーム共通。
居心地の良さ	宝塚大劇場を意識した高級感のあるたたずまいが居心地の良い空間を演出している。

※ 2020 年 4 月 1 日の重要事項説明書等によるデータ

有 チャームスイート宝塚売布

全100室

兵庫県宝塚市売布 4-1-25

【アクセス】阪急電鉄宝塚線「売布神社」駅より徒歩約 2 分
【運営会社】株式会社チャーム・ケア・コーポレーション
【利用料金】前払金 0 円～ 4,800,000 円、月額利用料 187,970 円～ 292,970 円
多様な料金制度のため詳細は同社 HP にてご確認ください

ユニットケアの採用により、入居者とスタッフ間が顔なじみの関係を築き、入居者に安心感を与えるとともに、居心地の良い空間を提供。若手職員が多く明るい雰囲気のホーム。看取り能力も高く安心して生活できる。要介護度の比較的高い方にお勧めのホーム。

▼ ハード面の充実

居室の広さ	共用施設の充実	グループケアの実施	浴室環境の充実
○		◎	◎

▼ ソフト面の充実

手厚い人員配置	契約上は要介護者 3 人に対し直接処遇職員 1 人配置だが、実際はそれ以上を配置。
夜間職員の配置	介護職 4 名の夜間体制。
看取り能力	看護師は、日中配置だが、オンコール体制の構築により看取りに対応。昨年は 14 名の看取りを行った。
情報発信力	施設のブログは頻繁に更新しており、情報発信に力を入れている。

▼ 相談員の評価

職員の接遇態度の良さ	「研修所設備の充実」「ベテラン職員配置」「接遇教育実施」等、職員能力向上のための教育体制が充実。
居心地の良さ	ユニットケア実施によってスタッフと入居者の顔なじみの関係を築く等、居心地の良い空間を提供している。

※ 2020 年 4 月 1 日の重要事項説明書等によるデータ

有 SOMPOケア
ラヴィーレ西宮

全40室

兵庫県西宮市上甲子園 5-8-23

阪神

伊丹／尼崎／猪名川／宝塚／西宮／芦屋

【アクセス】阪神電鉄本線「久寿川」駅より徒歩約 11 分
【運営会社】ＳＯＭＰＯケア株式会社
【利用料金】〈前払いプラン／75 歳以上の場合〉前払金 7,000,000 円～ 9,600,000 円（非課税）、月額利用料 201,720 円（税込）
多様な料金制度のため詳細は同社 HP にてご確認ください

認知症ケアに力を入れているホーム。介護、看護等専門職だけでなく、調理スタッフから事務スタッフまで、施設で働く全員が認知症への理解を深めるため、サポーター講座を受講。認知症の方が安心して過ごせる環境づくりを心掛けている。地域との交流も盛んで、「認知症カフェ」の実施、ショートステイの導入等地域の介護拠点の場となっている。共用施設も充実。最上階に広々としたダイニングと屋上庭園を設置、開放感のある空間でアクティビティを楽しむことができる。

▼ ハード面の充実

居室の広さ	共用施設の充実	グループケアの実施	浴室環境の充実
○			◎

▼ ソフト面の充実

職員定着率が高い	昨年度の離職率は 10%強であり、スタッフの定着率が高い。
介護福祉士率	介護職員に占める介護福祉士取得者率は 50% を超えており、スキルの高いスタッフがそろう。
情報発信力	施設のブログは頻繁に更新しており、情報発信に力を入れている。

▼ 相談員の評価

職員の接遇態度の良さ	教育部門を設け、ベテラン職員による指導を実施。特に接遇教育に力を入れている。
アクティビティ活動の充実	お花見や夏祭り等、四季の行事やイベントを開催。文化活動等、アクティビティの評判が良い。

※ 2019 年 11 月 5 日の重要事項説明書等によるデータ

有 チャームスイート 仁川

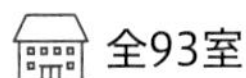

兵庫県西宮市仁川町 4-2-30　　全93室

【アクセス】阪急電鉄今津線「仁川」駅西口より徒歩約 8 分
【運営会社】株式会社チャーム・ケア・コーポレーション
【利用料金】〈A タイプの場合〉前払金 0 円、月額利用料 333,640 円
※他プラン有、詳細は同社 HP を参照

西宮市内の高級住宅街に立地しており、閑静な雰囲気のホーム。コの字型の建物に囲まれた大きな中庭は、来館者の目を引く存在となっている。他ホームと比べて広大な庭は、紅葉等四季折々の風景を楽しむことができる。手入れは園芸関係の学校を卒業した介護スタッフが毎日行い、常に美しい状態が保たれている。入居者の園芸活動や散歩にも利用されており、たいへん喜ばれている存在。館内も花を意識し、各所にある生花のしつらえは、華やかな雰囲気を醸成している。おいしい食事と女性向けのアクティビティ活動が自慢であり、自立に近い軽度の要介護者にお勧め。

▼ ハード面の充実

居室の広さ	共用施設の充実	グループケアの実施	浴室環境の充実
◎		○	○

▼ ソフト面の充実

食事の評判の良さ	西宮市の高級住宅街という立地を意識し、同社の他ホーム以上に食材等の内容に力を入れている。
職員定着率が高い	昨年度の離職率は 10%強であり、スタッフの定着率が高い。
介護福祉士率	介護職員に占める介護福祉士取得者率は 60% を超えており、スキルの高いスタッフが多い。
情報発信力	施設のブログは頻繁に更新しており、情報発信に力を入れている。

▼ 相談員の評価

職員の接遇態度の良さ	同社はスタッフに対する接遇教育に力を入れており、接遇態度の良さは各ホーム共通。
ホーム長の受け入れに対する積極性	同社は他のホームに比べ、入居者受け入れへの積極性が非常に高い。
アクティビティ活動の充実	女性を意識したアクティビティが評判で、美容系や文化系、お取り寄せスイーツを楽しむイベント等を実施している。
居心地の良さ	閑静な住宅街に立地しており、静かな環境のなかで過ごせる居心地の良いホーム。

※ 2018 年 8 月 14 日の重要事項説明書等によるデータ

㋚ チャーム 西宮用海町

兵庫県西宮市用海町 2-3

全79室

【アクセス】JR 神戸線「西宮」駅より徒歩約 13 分
【運営会社】株式会社チャーム・ケア・コーポレーション
【利用料金】前払金 0 円～ 960,000 円　月額利用料 171,885 円～ 187,885 円
※詳細は同社 HP を参照

JR 西宮駅から徒歩圏内の都心好立地ながら、リーズナブルな価格設定も魅力のホーム。施設前には桜並木があり、春には満開の姿を眺めることができる。近隣には、スーパー等の商業施設も多く、生活に便利な環境が整っている。人員配置も手厚く、認知症や重度の要介護者でも受け入れが可能。職員の接遇態度の良さと、居心地の良さが評判。

▼ ハード面の充実

居室の広さ	共用施設の充実	グループケアの実施	浴室環境の充実
○	○	○	◎

▼ ソフト面の充実

手厚い人員配置	契約上は要介護者 3 人に対し直接処遇職員 1 人配置だが、実際はそれ以上を配置。
看取り能力	看護師は日中配置だが、介護職、提携医療機関医師と連携、看取り体制を構築している。
情報発信力	施設のブログは頻繁に更新しており、情報発信に力を入れている。

▼ 相談員の評価

職員の接遇態度の良さ	同社はスタッフに対する接遇教育に力を入れており、接遇態度の良さは各ホーム共通。
居心地の良さ	シックでデザインの良い内装が自慢。職員の接遇態度の良さもあり、居心地の良い空間を提供している。

※ 2020 年 7 月 1 日の重要事項説明書等によるデータ

阪神

伊丹／尼崎／猪名川／宝塚／西宮／芦屋

有 ザ・レジデンス芦屋スイートケア

全81室

兵庫県芦屋市海洋町 12-3

【アクセス】JR 神戸線「芦屋」駅より阪急バス「浜風大橋南」下車、徒歩約 1 分
【運営会社】株式会社シティインデックスホスピタリティ
【利用料金】多様な料金制度のため詳細は同社 HP にてご確認ください

シニア向け分譲マンション入居者の要介護時の受け皿として設置されているホーム。そのため、高級ホテルのような外観や内装、調度品はたいへん評判が良い。24 時間体制で看護師を配置し、専門職によるリハビリも提供している。館内にはクリニックを併設する等医療対応力は申し分ない。おいしい食事、盛りだくさんのレクリエーションが人気であり、接遇態度の良さも評判となっている。

▼ ハード面の充実

居室の広さ	共用施設の充実	グループケアの実施	浴室環境の充実
◎			◎

▼ ソフト面の充実

食事の評判の良さ	明るく開放的なレストランで、おいしさはもちろん、バランスの取れた多彩なメニューを味わうことができる。
職員定着率	昨年度の離職率は 20%未満であり、スタッフの定着率が高い。
介護福祉士率	介護職員に占める介護福祉士取得者率は 70% を超えており、スキルと意欲の高いスタッフがそろう。
医療対応力	24 時間看護師常駐なので医療依存度の高い方でも安心。
リハビリ力	専門職である理学療法士、作業療法士を配置、個別リハビリを実施している。
夜間職員の配置	介護職 3 名の夜間体制。
看取り能力	24 時間体制の看護師と館内併設のクリニック医師が連携し、昨年度の看取りは 9 名を数える。

▼ 相談員の評価

職員の接遇態度の良さ	系列シニア向け分譲マンションの自立入居者への対応もあり、接遇教育には力を入れている。
居心地の良さ	高級感のあるハードが自慢。職員の接遇態度の良さもあり、居心地の良い空間をつくりだしている。

※ 2019 年 7 月 1 日の重要事項説明書等によるデータ

有 ドマーニ神戸

兵庫県神戸市垂水区本多聞 3-1-37

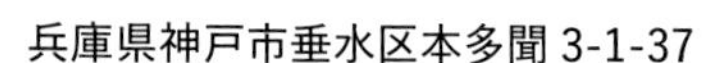

全253室

【アクセス】JR 神戸線「舞子」駅よりバス 53 系統「舞子高校前」下車、徒歩約 4 分
【運営会社】スミリンケアライフ株式会社
【利用料金】多様な料金制度のため詳細は同社 HP にてご確認ください

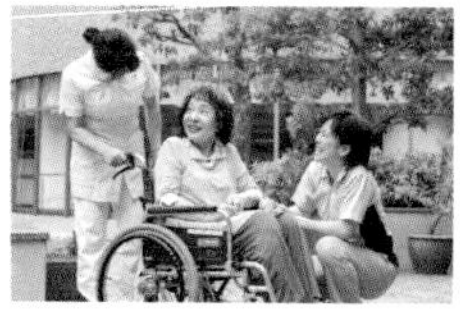

広々としたエントランスホールやダイニング、生活の楽しさを支える多目的ホール、音楽室、ビリヤード場等自立者向けの共用施設が充実。大きな特長は、ほかの高級有料老人ホームと違い、介護居室の人気が高いこと。館内クリニックの設置、24 時間看護師常駐体制、グループケアの実施等、考えられる要因は多い。新規入居時には、部屋は全面リフォームで新築同様となる。関西の自立者向け高級老人ホームのなかでは、特にお勧めしたい。

▼ ハード面の充実

居室の広さ	共用施設の充実	グループケアの実施	浴室環境の充実
○	○	○	◎

▼ ソフト面の充実

手厚い人員配置	契約上は要介護者 1.5 人に対し直接処遇職員 1 人配置だが、実際はそれ以上のたいへん手厚い職員配置。
医療対応力	24 時間常駐の看護師を実質 2 名配置、館内併設のクリニック医師が連携し、医療対応力はたいへん高い。
介護福祉士率	介護職員に占める介護福祉士取得者率は 70% を超えており、経験 10 年以上のスタッフがそろう。
リハビリ力	理学療法士、作業療法士による、心身の状況に合わせ、個別リハビリを提供。
夜間職員の配置	看護師 2 名も含め計 8 名の夜間体制。たいへん手厚い。
看取り能力	24 時間の看護師を配置、館内併設のクリニック医師と連携し、昨年度の看取りは 14 名を数える。

▼ 相談員の評価

職員の接遇態度の良さ	教育制度の充実は業界でも評判。特に接遇教育には力を入れている。
ホーム長の受け入れに対する積極性	医療対応力が高いため、ホーム長の受け入れ姿勢も積極的。
認知症対応力	ユニットケアの導入、職員教育の充実で認知症の方に人気。
アクティビティ活動の充実	長年の経験を活かした、自立の方に向けたクラブ活動の充実ぶりが評価されている。
居心地の良さ	共用施設の充実が、“館内でなんでもそろう、なんでもできる”という居心地の良い空間をつくりだしている。

※ 2020 年 7 月 1 日の重要事項説明書等によるデータ

有 フォレスト垂水 壱番館

兵庫県神戸市垂水区旭が丘 1-9-60

全106室

【アクセス】JR 神戸線「垂水」駅より徒歩約 6 分
【運営会社】ファイン フォレスト株式会社
【利用料金】多様な料金制度のため詳細は同社 HP にてご確認ください

同ホームは広々とした共用施設があり、ハード面も評判が良いが、なんといってもソフト面の充実が評価されている。リハビリ専門職、認知症専門職、24 時間常駐看護師等、各サービスでそれぞれのエキスパートを配置し、すべてのソフト面でレベルの高いサービスを提供。食事、アクティビティ活動の評価も高い。

▼ ハード面の充実

居室の広さ	共用施設の充実	グループケアの実施	浴室環境の充実
◎	◎	◎	◎

▼ ソフト面の充実

食事の評判の良さ	朝食は和・洋から選択。週替わりの行事食でお寿司等も用意。
手厚い人員配置	契約上は要介護者 1.5 人に対し直接処遇職員 1 人配置だが、実際はそれ以上を配置。
医療対応力	24 時間看護師を配置。館内併設のクリニック医師も連携。
介護福祉士率	介護職員に占める介護福祉士取得者率は 70% を超えており、スキルの高い職員がそろう。
リハビリ力	専門職である理学療法士を配置。個別リハビリを実施。
夜間職員の配置	看護師 1 名、介護職 5 名、計 6 名スタッフを配置。たいへん充実した夜間体制。
看取り能力	24 時間の看護師を配置、提携医療機関の医師と連携し、看取り体制を構築している。
情報発信力	施設のブログは頻繁に更新しており、情報発信に力を入れている。

▼ 相談員の評価

職員の接遇態度の良さ	敷地内に自立入居者向けのホームを併設しているため、接遇教育には力を入れている。
ホーム長の受け入れに対する積極性	ホーム長は困難事例でも相談に乗ってくれ、受け入れには積極的。
認知症対応力	重度の認知症の方にも、専門資格をもったスタッフがサポート。
アクティビティ活動の充実	季節感のある多彩なイベント、多くのクラブ活動があり、アクティビティが充実している。
居心地の良さ	広々とした共用空間があり、入居者の生活をサポート。

※ 2020 年 7 月 1 日の重要事項説明書等によるデータ

有 エレガーノ甲南

兵庫県神戸市東灘区本山南町 3-3-1

全206室

【アクセス】阪神電鉄本線「青木」駅より徒歩約 9 分
【運営会社】スミリンケアライフ株式会社
【利用料金】多様な料金制度のため詳細は同社 HP にてご確認ください

関西屈指の高級有料老人ホームとして知られる。女性デザイナーによる心楽しくなるインテリア、エレガントな美しさによる空間演出が魅力。共用部を 1 階・2 階に配置し、集いやすい生活動線を考慮した機能的なデザインと、「なんでもできる、なんでもそろう」という共用施設の充実が居心地の良い空間につながる。館内にクリニックを併設、24 時間 2 名体制の看護師配置がさらなる安心感を生み出している。自立時に入居し、看取りまで過ごすことができる、「終の棲家」をお探しの方に特にお勧めのホーム。

▼ ハード面の充実

居室の広さ	共用施設の充実	グループケアの実施	浴室環境の充実
◎	◎	○	◎

▼ ソフト面の充実

手厚い人員配置	契約上は要介護者 1.5 人に対し直接処遇職員 1 人配置だが、実際はそれ以上を配置。
職員定着率が高い	昨年度の離職率は 10%未満であり、スタッフの定着率が高い。
医療対応力	24 時間看護師常駐なので医療依存度の高い方でも安心。
介護福祉士率	介護職員に占める介護福祉士取得者率は 70% を超えており、経験 10 年以上のベテランが多くそろう。
リハビリ力	専門職である理学療法士、作業療法士を配置、個別リハビリを実施している。
夜間職員の配置	看護師 2 名も含め、計 10 名のたいへん手厚い夜間体制。
看取り能力	24 時間の看護師を配置、館内併設のクリニックの医師と連携し、昨年度の看取りは 21 名を数える。

▼ 相談員の評価

職員の接遇態度の良さ	スタッフ教育の充実は、業界でも評判。自立入居者の対応が中心のため、特に接遇教育に力を入れている。
居心地の良さ	共用施設の充実で、“なんでもできる、なんでもそろう”という居心地の良い空間をつくりだしている。

※ 2020 年 7 月 1 日の重要事項説明書等によるデータ

有 チャームプレミア 御影

兵庫県神戸市東灘区住吉本町 3-13-7

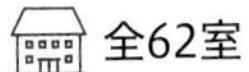

全62室

【アクセス】阪急電鉄神戸線「御影」駅より徒歩約 9 分
【運営会社】株式会社チャーム・ケア・コーポレーション
【利用料金】〈A タイプの場合〉前払金 0 円～ 10,200,000 円、月額利用料 222,610 円～ 422,610 円　※他プラン有、詳細は同社 HP を参照

同ホームは、関西で初めてのプレミアシリーズとして開設。閑静な住宅街の一角に立地。高級感のある建物が周辺にマッチしており、やすらぎの雰囲気をかもしだす。また、元ＣＡのコンシェルジュが入居者の相談事を一手に引き受けるとともに、アクティビティの企画も実施しており、たいへん評判が良い。食事には、食材一つひとつにこだわっており、その味は申し分ない。地域との関係も重視しているため、地域との交流も盛んなホームとなっている。

▼ ハード面の充実

居室の広さ	共用施設の充実	グループケアの実施	浴室環境の充実
○			◎

▼ ソフト面の充実

食事の評判の良さ	高級住宅街での立地を意識し、食材費を考慮する等内容に力を入れている。
情報発信力	施設のブログは頻繁に更新しており、情報発信に力を入れている。

▼ 相談員の評価

職員の接遇態度の良さ	同社はスタッフに対する接遇教育に力を入れており、接遇態度の良さは各ホーム共通。
ホーム長の受け入れに対する積極性	関西で唯一の同社プレミアシリーズであり、ホーム長のレベルも高く、広く入居相談に乗ってくれる。
居心地の良さ	高級感のあるハード、接遇態度の良さ、コンシェルジュの配置もあり、居心地の良い空間をつくりだしている。

※ 2019 年 10 月 1 日の重要事項説明書等によるデータ

有 コンフォートヒルズ六甲

兵庫県神戸市灘区篠原北町 3-11-14

全169室

【アクセス】阪急電鉄神戸線「六甲」駅より徒歩約 15 分
【運営会社】セコムフォートウエスト株式会社
【利用料金】多様な料金制度のため詳細は同社 HP にてご確認ください

セコムグループが運営する高級有料老人ホーム。安藤忠雄設計の雄大な外観は、四季折々に変化する自然の彩りと融合し、品格と誇りが漂っている。隣接する同系列の神戸海星病院が、安心のバックアップ体制を提供。高級料亭出身の調理人による食事と盛んなクラブ活動等サービスも充実。自立入居者向けのトレーニングおよび、認知症予防のためのスペース「カレア」は他の施設にはない特長。

▼ ハード面の充実

居室の広さ	共用施設の充実	グループケアの実施	浴室環境の充実
○	◎		◎

▼ ソフト面の充実

食事の評判の良さ	管理栄養士考案の栄養満点のメニューを、高級料亭出身の調理人が調理したいへん評判が高い。
手厚い人員配置	契約上は要介護者 1.5 人に対し直接処遇職員 1 人配置だが、実際はそれ以上を配置。
医療対応力	実質 2 名の看護師が 24 時間常駐。同系列運営の神戸海星病院が隣接し、医療対応力はたいへん高い。
介護福祉士率	介護職員に占める介護福祉士取得者率は 80% を超えており、スキルの高いベテランスタッフがそろう。
リハビリ力	専門職である理学療法士、作業療法士、言語聴覚士を配置。個別リハビリを実施している。
夜間職員の配置	看護師 2 名をはじめ、計 7 名のたいへん手厚い夜間体制。
看取り能力	24 時間常駐の看護師、介護職員、海星病院医師による看取り体制。
情報発信力	施設のブログは頻繁に更新しており、情報発信に力を入れている。

▼ 相談員の評価

職員の接遇態度の良さ	主としては、自立入居者向けのホームのため、接遇教育には特に力を入れている。
ホーム長の受け入れに対する積極性	自立者向けのクラブ活動や食事に定評がある。医療対応力、リハビリ力も充実しており、受け入れに積極的。
居心地の良さ	高級ホテルのような空間が評判。

※ 2020 年 7 月 1 日の重要事項説明書等によるデータ

有 エレガリオ神戸

兵庫県神戸市中央区海岸通 6-2-14

全153室

【アクセス】JR 神戸線「神戸」駅より徒歩約 10 分
【運営会社】株式会社ユーキャン・ライフパートナー
【利用料金】多様な料金制度のため詳細は同社 HP にてご確認ください

神戸元町の都心立地にたたずむホーム。25 階のスカイラウンジ、メインダイニング、オープンカフェ、温泉大浴場、多目的ホール等充実した共用施設も都心ライフを後押しする。都心ライフが好きな自立の方にお勧め。館内には併設された内科クリニックもあり､安心感も抜群。要介護状態になった場合も、24 時間常駐の看護師とリハビリ専門職員、介護職員が介護居室での生活をサポートする。「終の棲家」として入居するのに最適のホーム。

▼ ハード面の充実

居室の広さ	共用施設の充実	グループケアの実施	浴室環境の充実
○	○	○	◎

▼ ソフト面の充実

手厚い人員配置	契約上は要介護者 1.5 人に対し直接処遇職員 1 人配置だが、実際はそれ以上を配置。
介護福祉士率	介護職員に占める介護福祉士取得者率は 80% を超えており、経験 10 年以上のスタッフがそろう。
職員定着率が高い	昨年度の離職率は 15%未満であり、スタッフの定着率が高い。
医療対応力	24 時間看護師常駐なので医療依存度の高い方でも安心。
リハビリ力	専門職である理学療法士を配置、個別リハビリを実施している。
夜間職員の配置	看護職 1 名、介護職 2 名、計 3 名の夜間体制。
看取り能力	24 時間の看護師を配置、館内併設のクリニック医師と連携し、看取り体制を構築している。

▼ 相談員の評価

職員の接遇態度の良さ	経営母体がユーキャンのため、スタッフの接遇態度の良さは評判が高い。
ホーム長の受け入れに対する積極性	自立、介護にかかわらず、ホーム長の積極的な受け入れ姿勢は評判が良い。
居心地の良さ	神戸市内の繁華街にある超都心立地。スカイラウンジから絶景を楽しめる。

※ 2020 年 7 月 1 日の重要事項説明書等によるデータ

有 エリーネス須磨

兵庫県神戸市須磨区友が丘 7-1-21

全135室

【アクセス】神戸市営地下鉄「妙法寺」駅より市バス 73 系統 「友が丘」下車、徒歩約 3 分
【運営会社】株式会社神戸健康管理センター
【利用料金】多様な料金制度のため詳細は同社 HP にてご確認ください

神戸市内でも落ち着いた雰囲気のエリア、須磨海浜公園から徒歩約 5 分の至便立地にあるホーム。新須磨病院との連携が特長であり、毎日の送迎のほか、介護居室には週 2 回院長先生が訪問する。「自分の身内でも入居させたくなるようなホームにしよう！」が理念であり、多様な共用施設のなかでも、大食堂と温泉を引いた大浴場がそれを感じさせる。介護・医療サービスも充実しており、都心を離れゆっくりとした時間をホーム内で過ごしたいと考える自立入居者にお勧めのホーム。

▼ ハード面の充実

居室の広さ	共用施設の充実	グループケアの実施	浴室環境の充実
○	○	○	◎

▼ ソフト面の充実

手厚い人員配置	契約上は要介護者 2.5 名に対し 1 人の直接処遇職員配置だが、実際はそれ以上を配置。
職員定着率が高い	昨年度の離職率は 15%弱と低い。職員の定着率が高い。
医療対応力	24 時間看護師常駐なので医療依存度の高い方でも安心。
介護福祉士率	介護職員に占める介護福祉士取得者率がほぼ 100%。スキルの高い職員が多い。
リハビリカ	常勤の専門職（理学療法士）を配置。グループ内にリハビリ病院もあるのでリハビリ力が高い。
看取り能力	看護師を 24 時間配置。新須磨病院とも連携し看取り体制を構築。昨年は 18 名を看取る等看取り能力は相当高い。

▼ 相談員の評価

職員の接遇態度の良さ	主として自立入居者向けのホームのため接遇態度には注意をしている。
認知症対応力	新須磨病院との連携は強み。認知症ケアに注力。研修受講等で得たエビデンスに基づいたケア実践に取り組んでいる。
アクティビティ活動の充実	季節を感じていただけるイベントを実施。日々の活動では音楽療法士による音楽レクが特長。

※ 2020 年 7 月 1 日の重要事項説明書等によるデータ

有 はぴね神戸魚崎弐番館

兵庫県神戸市東灘区魚崎南町 8-10-7

全47室

【アクセス】阪神電鉄本線「魚崎」駅より徒歩約４分
【運営会社】グリーンライフ株式会社
【利用料金】〈個室〉敷金 180,000 円（非課税）、月額利用料 272,099 円（税込）
※詳細は同社 HP を参照

阪神魚崎駅より徒歩約４分という至便立地。１フロア７～16 名の、小規模でアットホームな有料老人ホーム。ユニットケアの実施により、認知症対応力が高いことが業界でも評判。入居者に寄り添い、望むことが何かを求め、笑いあり涙ありの日々のなかで「生ききっていただく」ことを目標にしている。普段の暮らしが充実するよう、スタッフ全員が常に前向きに暮らしを支えている。認知症の方にお勧めのホーム。

▼ ハード面の充実

居室の広さ	共用施設の充実	グループケアの実施	浴室環境の充実
		◎	◎

▼ ソフト面の充実

介護福祉士率	介護職員に占める介護福祉士取得者率は 50% を超えており、スキルの高いスタッフが多い。
夜間職員の配置	介護職３名の夜間体制。
看取り能力	看護師は日中配置だが介護職との連携により看取り体制を構築。昨年は 17 名の看取りを実施。
情報発信力	施設のブログは頻繁に更新しており、情報発信に力を入れている。

▼ 相談員の評価

職員の接遇態度の良さ	ユニットケアの実施により、スタッフと入居者が近い関係を構築。接遇の良さにつながり、評判が良い。
認知症対応力	ユニットケア実施のため、認知症対応力には定評あり。

※ 2020 年７月１日の重要事項説明書等によるデータ

有 はぴね神戸魚崎

兵庫県神戸市東灘区魚崎南町 5-5-21

全43室

【アクセス】六甲ライナー「南魚崎」駅より徒歩約 5 分
【運営会社】グリーンライフ株式会社
【利用料金】〈個室〉敷金 160,000 円（非課税）、月額利用料 265,499 円（税込）
※詳細は同社 HP を参照

住吉川公園に隣接した、閑静な住宅街に立地。「小さな声にも耳を傾けながら、いつでもそばにいること」、「笑顔の絶えない毎日の生活をお手伝いすること」、「温かいわが家のような生活空間をつくりだすこと」、「専門的知識で常にケアすること」を心掛け運営しており、笑い声に溢れた明るく居心地の良い“家庭的なホーム”づくりを目指している。ユニットケアを実施しているため、認知症対応力の高いホームとして業界の評価も高く、認知症の方にお勧めのホーム。

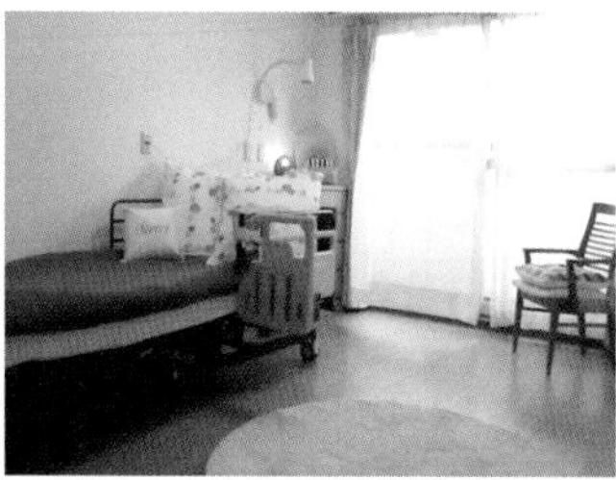

▼ ハード面の充実

居室の広さ	共用施設の充実	グループケアの実施	浴室環境の充実
		◎	◎

▼ ソフト面の充実

看取り能力	看護師は日中配置だが介護職との連携により看取り体制を構築。昨年は 10 名の看取りを行った。
情報発信力	施設のブログは頻繁に更新しており、情報発信に力を入れている。

▼ 相談員の評価

職員の接遇態度の良さ	ユニットケアの実施により、スタッフと入居者が近い関係を構築。接遇の良さにつながり、評判が良い。
認知症対応力	ユニットケア実施のため、認知症対応力には定評あり。

※ 2020 年 7 月 1 日の重要事項説明書等によるデータ

有 グランフォレスト神戸御影

兵庫県神戸市東灘区鴨子ヶ原 3-2-43

全57室

【アクセス】阪急電鉄神戸線「御影」駅より車・タクシーで約 5 分
【運営会社】スミリンフィルケア株式会社
【利用料金】〈一般プラン／ 80 ～ 84 歳の場合〉前払金 17,060,000 円、月額利用料 223,500 円、入居時に償却する額 3,412,800 円
※他プラン有、詳細は同社 HP を参照

住友林業の子会社の運営ということもあり、良質な木材を使用した温かみが感じられる。六甲山麓の立地で、緑の豊かさと神戸港を眼下に収める眺望が自慢。食事の評判も良く、お米には、「金芽米」を使う等たいへんこだわっている。サービス面では、理学療法士による個別リハビリの提供や、認知症のスタッフ教育に力を入れている。ICT（ライフリズムナビ＋ Dr. ほか）を使い、「質の高い眠り」と「快適な生活」を送るための健康管理サポートを行っているのも特長。

▼ハード面の充実

居室の広さ	共用施設の充実	グループケアの実施	浴室環境の充実
○		○	◎

▼ソフト面の充実

食事の評判の良さ	ご高齢者にとっての「ご飯」は特別なものと考え、お米には栄養とおいしさを両立した「金芽米」を採用している。
手厚い人員配置	契約上は要介護者 2.5 人に対し直接処遇職員 1 人配置だが、実際は 2 名（もしくはそれ以上）の手厚い人員配置。
介護福祉士率	介護職員に占める介護福祉士取得者率は 60% を超えており、スキルの高いスタッフがそろう。
リハビリ力	専門職である理学療法士を配置、個別リハビリを実施している。
情報発信力	施設のブログは頻繁に更新しており、情報発信に力を入れている。

▼相談員の評価

職員の接遇態度の良さ	住友林業の傘下であり、大手ならではの教育体制でスタッフ教育を実施。接遇態度の良さに定評がある。
ホーム長の受け入れに対する積極性	困難事例でも前向きに相談に乗ってくれる。
居心地の良さ	住友林業ならではの木造建築、木の温かみによる居心地の良い空間を提供している。

※ 2020 年 3 月 1 日の重要事項説明書等によるデータ

有 SOMPOケア ラヴィーレ六甲

全100室

兵庫県神戸市灘区篠原伯母野山町 1-2-2

【アクセス】阪急電鉄神戸本線「六甲」駅、阪神電鉄本線「新在家」「御影」駅、JR 神戸線「六甲道」駅よりバス
【運営会社】ＳＯＭＰＯケア株式会社
【利用料金】〈75 歳以上／前払いプランの場合〉前払い金 4,800,000 円～ 8,400,000 円（非課税）、月額利用料 200,820 円（税込）
※他プラン有、詳細は同社 HP を参照

六甲の丘の上に立地し、窓越しに広がる澄み渡る青空、豊かな緑、神戸の夜景等、優れた眺望を堪能することができる。高級感ある調度品をそろえた共用空間は、非常に居心地が良い。なかでもシンボルツリーが植えられた中庭は、日射しと吹き抜ける風が実に心地よい。お花見や夏祭り等四季の行事やイベント、絵画に書道といった文化活動等、生活にわくわく感をもたらすレクリエーションが充実。接遇態度の良さ、ホーム長の受け入れへの積極性が評判のホームとなっている。

▼ ハード面の充実

居室の広さ	共用施設の充実	グループケアの実施	浴室環境の充実
○			

▼ ソフト面の充実

職員定着率が高い	昨年度の離職率は 20％強であり、スタッフの定着率が高い。
夜間職員の配置	介護職 3 名の夜間体制。
情報発信力	施設のブログは頻繁に更新しており、情報発信に力を入れている。

▼ 相談員の評価

職員の接遇態度の良さ	教育部門を設け、ベテラン職員による指導を実施、特に接遇教育に力を入れている。
ホーム長の受け入れに対する積極性	ホーム長は困難事例であっても、積極的に入居相談に応じてくれる。
アクティビティ活動の充実	お花見や夏祭り等、四季の行事や食のイベントを実施。わくわく感をもたらすレクリエーションが、数多くそろう。
居心地の良さ	ゆとりと癒しに満ちた共用空間、カフェ等があり、居心地の良い空間をつくりだしている。

※ 2020 年 7 月 1 日の重要事項説明書等によるデータ

有 ライフ＆シニアハウス 神戸北野

全77室

兵庫県神戸市中央区加納町 2-7-11

【アクセス】JR 神戸線「三ノ宮」駅より徒歩約 10 分
【運営会社】株式会社生活科学運営
【利用料金】多様な料金制度のため詳細は同社 HP にてご確認ください

YMCA と同居し、高齢者と学生・留学生が触れ合える異世代交流型の空間をつくりだしている。プールやフィットネススタジオのある YMCA ファミリーウエルネスセンター（※施設とは別立地、別途費用有り、専用バスでの送迎有り）を利用し、運動に励むことができる。自立居室のみだが、ペット（犬・猫等）と暮らすことも可能であり、神戸北野の生活を楽しみたい自立の方にお勧めのホーム。

▼ ハード面の充実

居室の広さ	共用施設の充実	グループケアの実施	浴室環境の充実
○	◎		◎

▼ ソフト面の充実

手厚い人員配置	契約上は要介護者 2 人に対し直接処遇職員 1 人配置だが、実際はそれ以上を配置。
職員定着率が高い	昨年度の離職率は 15%未満であり、スタッフの定着率が高い。
介護福祉士率	介護職員に占める介護福祉士取得者率は 50% を超えており、スキルと意欲の高いスタッフがそろう。
情報発信力	施設のブログは頻繁に更新しており、情報発信に力を入れている。

▼ 相談員の評価

職員の接遇態度の良さ	長谷工グループの子会社であるため、スタッフ教育には定評あり。
アクティビティ活動の充実	同社は長年地域とのつながりを重視した施設運営を実施。地域資源を利用したアクティビティ活動は評判が高い。
居心地の良さ	地域交流を盛んに行っており、そのコンセプトに共感がもてる方には居心地の良い空間となっている。

※ 2020 年 7 月 1 日の重要事項説明書等によるデータ

有 チャームスイート 神戸北野

兵庫県神戸市中央区北野町 1-2-13　全60室

【アクセス】地下鉄西神・山手線「新神戸」駅より徒歩約 9 分
【運営会社】株式会社チャーム・ケア・コーポレーション
【利用料金】前払金 0 円～ 7,800,000 円　月額利用料 196,240 円～ 326,240 円
※詳細は同社 HP を参照

明治から大正時代の美しい建物が点在する異人館街にあり、港町特有の異国情緒に満ちた、おしゃれな街並みを目にすることができる。そんな神戸市内の眺望が一望できる立地が評判だ。サービス内容は多種多様なレクリエーションをはじめ、人との触れ合いの場を大切にした行事等アクティビテ ィ活動が盛ん。スタッフの接遇態度の良さとホーム長の受け入れへの積極性が評価されており、軽度の要介護の方にお勧めのホーム。

▼ ハード面の充実

居室の広さ	共用施設の充実	グループケアの実施	浴室環境の充実
○			◎

▼ ソフト面の充実

手厚い人員配置	契約上は要介護者 3 人に対し直接処遇職員 1 人配置だが、実際はそれ以上を配置。
職員定着率が高い	昨年度の離職者はほぼなし、スタッフの定着率が高い。
情報発信力	施設のブログは頻繁に更新しており、情報発信に力を入れている。

▼ 相談員の評価

職員の接遇態度の良さ	同社はスタッフに対する接遇教育に力を入れており、接遇態度の良さは各ホーム共通。
ホーム長の受け入れに対する積極性	ホーム長は困難事例でも相談に乗ってくれ、受け入れには積極的。
居心地の良さ	神戸市内の眺望が一望できる立地、高級感もある調度品の評判が良く、居心地の良さを醸成している。

※ 2020 年 4 月 1 日の重要事項説明書等によるデータ

有 エクセレント神戸

兵庫県神戸市兵庫区菊水町 10-9-18

全49室

【アクセス】神戸電鉄「長田」駅より徒歩約 7 分
【運営会社】株式会社エクセレントケアシステム
【利用料金】〈介護居室／ 1 名利用時の場合〉月額利用料 182,420 円～　※敷金 183,000 円～ 288,000 円、他プラン有。詳細は同社 HP を参照

神戸電鉄長田駅より徒歩約 7 分の至便立地。低価格ではあっても、高級感溢れる内装・調度品が特長。スタッフの配置は手厚く、理学療法士による個別リハビリも実施しており、その満足度は高い。絵画、園芸等大人のためのレクリエーション等サービスも標準以上。トータルで見てたいへんお得なホーム。

▼ ハード面の充実

居室の広さ	共用施設の充実	グループケアの実施	浴室環境の充実
○		○	

▼ ソフト面の充実

職員定着率が高い	昨年度の離職率は 10%強であり、スタッフの定着率が高い。
介護福祉士率	介護職員に占める介護福祉士取得者率は 75% を超えており、スキルの高いスタッフが多い。
リハビリ力	専門職である理学療法士を配置、個別リハビリを実施している。
看取り能力	看護師は日中配置だが介護職と連携し、昨年は 10 名の看取りを行った。

▼ 相談員の評価

職員の接遇態度の良さ	介護大手ならではの教育体制により、接遇教育に力を入れている。
居心地の良さ	高級感のある内装や調度品が特長のホーム。接遇態度の良さもあり、居心地の良い空間をつくりだしている。

※ 2020 年 7 月 1 日の重要事項説明書等によるデータ

有 SOMPOケア ラヴィーレ神戸垂水

全100室

兵庫県神戸市垂水区名谷町猿倉285

【アクセス】JR神戸線「垂水」駅より徒歩約6分
【運営会社】ＳＯＭＰＯケア株式会社
【利用料金】〈前払いプラン／75歳以上の場合〉前払金5,900,000円～7,500,000円（非課税）、月額利用料209,720円（税込）
※他プラン有、詳細は同社HPを参照

神戸垂水の丘陵地に立地しており、採光と緑を意識した居室、共用空間のつくりに定評がある。また明るく元気、礼儀正しい若手スタッフが、入居者に安心感と居心地の良さを提供しているホーム。アクティビティ活動も盛んで、四季を感じるイベントのほか、書道や絵画といった文化活動、定番のカラオケ等多彩なレクリエーション活動が入居者に好評である。都会の喧騒を離れ、ゆったりとした時間を過ごしたい要介護の方にお勧めのホーム。

▼ハード面の充実

居室の広さ	共用施設の充実	グループケアの実施	浴室環境の充実
◎		○	

▼ソフト面の充実

手厚い人員配置	契約上は要介護者2.5人に対し直接処遇職員1人配置だが、実際はそれ以上を配置。
職員定着率が高い	昨年度の離職率は10％弱であり、スタッフの定着率が高い。
介護福祉士率	介護職員に占める介護福祉士取得者率は50％を超えており、スキルと意欲の高いスタッフがそろう。
夜間職員の配置	介護職4名の夜間体制。
情報発信力	施設のブログは頻繁に更新しており、情報発信に力を入れている。

▼相談員の評価

職員の接遇態度の良さ	教育部門を設け、ベテラン職員による指導を実施。特に接遇教育に力を入れている。
ホーム長の受け入れに対する積極性	チームケアを徹底しているためか、ホーム長は困難事例でも積極的に入居相談に応じてくれる。
アクティビティ活動の充実	お花見や夏祭り等、四季のイベントを定期的に開催。多彩なレクリエーションを提供している。
居心地の良さ	ホテルライクな調度品、明るく採光を意識した共用設備が居心地の良い空間をつくりだしている。

※2020年7月1日の重要事項説明書等によるデータ

有 SOMPOケア ラヴィーレ神戸伊川谷

全80室

兵庫県神戸市西区伊川谷町有瀬 1745-1

【アクセス】JR 神戸線「明石」駅よりバス 16 分
【運営会社】ＳＯＭＰＯケア株式会社
【利用料金】〈前払いプラン／ 75 歳以上の場合〉前払金 4,800,000 円～ 7,800,000 円（非課税）、月額利用料 209,720 円（税込）
※他プラン有、詳細は同社 HP を参照

明るく緑溢れる景観を享受できる立地にあり、ダイニングや大浴場からは、明石海峡大橋を望むことができる。要介護者だけでなく、自立の方向けの共用施設も充実している。ホームの運営の特長はチームケアであり、介護・看護スタッフだけでなく、外部の医師や歯科医とも密に連携を行い、健康サポートを実施。軽度の要介護者にお勧めのホーム。

▼ハード面の充実

居室の広さ	共用施設の充実	グループケアの実施	浴室環境の充実
○		◎	◎

▼ソフト面の充実

手厚い人員配置	契約上は要介護者 2.5 人に対し直接処遇職員 1 人配置だが、実際はそれ以上を配置。
介護福祉士率	介護職員に占める介護福祉士取得者率は 60% を超えており、スキルの高い職員が多い。
夜間職員の配置	介護職 3 名の夜間体制。
情報発信力	施設のブログは頻繁に更新しており、情報発信に力を入れている。

▼相談員の評価

職員の接遇態度の良さ	教育部門を設け、ベテラン職員による指導を実施、特に接遇教育に力を入れている。
ホーム長の受け入れに対する積極性	ホーム長は困難事例でも、積極的に入居相談に応じてくれる。

※ 2020 年 7 月 1 日の重要事項説明書等によるデータ

コロナ禍で対応するホームも急増中「オンライン見学」で失敗しないコツ

失敗しない老人ホーム選びには、実際にホームを見学することが必須です。しかし、新型コロナウイルス感染症が広まり、多くのホームで感染予防のため来館を制限する状況が続いています。見学についても同様です。こうしたなかで、各種ICTを活用し、オンラインでの見学に対応するホームも増えてきています。ホームを探す側にとっても、オンライン見学は、移動時間やコストがかからず、感染リスクもなく、入居者本人が身体的な理由等で現地に行けない場合でも見学できる等、理想的な手法ですが、実際に施設を訪問しての見学とはなにかと勝手が違うものです。オンライン見学をする際には、どのような点に注意が必要なのでしょうか。

オンライン見学には大きく二つの種類があります。一つは、外観・居室・共用部等を撮影した動画を、ホームがホームページ上等で流し、それを視聴するものです。なかにはホーム長やスタッフのインタビュー等が加わったものもあります。もう一つは、ホームと見学者をZoom等のオンライン会議システム等によって、リアルタイムでつなぎ、スタッフがカメラ等を持ってホーム内を移動して案内をしてくれる、というものです。それぞれに利用する際の注意点等は異なります。

撮影済み動画は参考にならず

まずは、前者の「撮影済み動画」ですが、「24時間365日いつでも見学可能」というのが最大のメリットです。一つのホームの動画を何回見ても構いません。

しかし、見ているのは、要は単なる「コマーシャル映像」です。撮影に際してはホーム内をきちんと整理整頓し、映像映えするようにアングル等も工夫します。もちろん都合の悪い場所は撮影しません。ホーム長やスタッフのインタビューも、あらかじめ決められたせりふを読んでいるだけのものです。また、一方的に情報を受け取るだけで、こちらからその場で質問をすることもできません。つまり、そこで得られる情報はパンフレットやホームページ上とたいして変わらない、という点はしっかり認識する必要があります。

今はテレビショッピングやネットショッピングが珍しくない時代ですが、それでも多くの買い物の際、最終的には店頭で商品を手に取って、店員の説明を聞いて買うかどうかの判断をします。その商品を以前に買ったことがあったり、十分な知識を有していたりしている場合を除き、チラシやコマーシャル映像だけで最終決定をする人はいません。

老人ホームも同様です。撮影済み動画による見学だけで入居を決定するのは失敗のもとです。このタイプのオンライン見学は、実際の見学をする際に質問する内容をまとめる参考にする等、いわば「事前学習」として活用するのが最も賢い方法といえます。

質問内容は事前に決めておく

一方の「リアルタイム動画」ですが、先方がカメラを持って館内を移動しますので、ホーム内をあちこち見ることができます。録画した動画よりはずっと多くの情報を得られますし、質問があればその場ですぐに答えてくれます。複数人で同時に見学をすることも可能です。

しかし、それでも実際にホームに足を運ぶのに比べると得られる情報は少なくなります。例えば匂いや味覚、触感はオンラインでは伝わりません。また、実際にホームを訪れれば、自分で四方八方に目を配って、気になる場所について質問できますが、オンラインの場合には先方がカメラを向けた場所しか見ることができません。したがって、「質問したいこと」「じっくりと見たいところ」を前もって決めておき、その場で効果的に質問をし、カメラを向けてくれるようにしないと、消化不良な見学になってしまいます。それを防ぐためにもホームページやパンフレット等による「事前学習」が重要になります。オンライン見学申し込み時に日時や氏名だけでなく、要望点等を書き込むことができるホームもありますので、事前にこちらの「こだわり」を伝えておくことをお勧めします。

「情」が入らず冷静な判断が可能

また、実際に見学に行くと、「せっかく時間と費用をかけて見に行ったのだし」「時間を割いて丁寧に説明してくれたし」等という気持ちが働くうえに、ホームの熱心な営業トークもあり、それほど気に入ったホームでなくとも契約してしまう、ということがままあります。それに対して、オンライン見学では先方と直接対面していないため、そうした「情」が介入する部分が少なく、比較的冷静な判断が可能になるともいえます。リアルな見学に比べて得られる情報が少ないことを考えても、オンライン見学は「本命のホームの最終判断をする」ためではなく「気に入った複数のホームのなかから本命ホームを絞る」等、もう一段階前の部分で活用することがポイントといえそうです。

ただし、最近ではコロナワクチン接種が進んだこともあり、多くのホームでは「入居を前提にした見学」であればリアルでの対応を再開するようになってきています。

パンフや重説では分からない
ホームの質の見分け方

時間帯や曜日を変えて周辺を歩く

高齢者住宅選びに必要な情報は、パンフレットや重要事項説明書、運営会社のホームページ、そして本書のようなガイドブック等で入手できますが、実際にホームに足を運び、見学や体験宿泊をしないと分からない情報も数多くあります。しかし、新型コロナウイルスの感染が続くなかでは、見学の受け入れを休止したり、見学できる場所を制限したりしているホームが大半です。以前に比べて得られる情報が少なくなっているなかでは、入居する側がいかに独自に情報収集できるかが求められます。そこで、「中の見学をしなくても入手可能なパンフレット等には載っていない情報」と「その具体的な収集方法」をご紹介します。

まずは「ホームの周辺環境」です。これはホーム側に案内されなくても、自分で確認しに行けます。例えば「すぐ隣が工場で、日中は常に大きな作業音がしている」等のマイナス情報はパンフレット等には記載されません。また実際に見学に行ったとしても、休日で工場が稼働していない可能性もあります。入居を検討しているホームまでどの程度の移動時間がかかるかにもよりますが、可能であれば曜日や時間帯、天候等の状況が違うときに複数回、ホームの近くの様子を見て回ることをお勧めします。このほか、「近くにゴミが大量に不法投棄されている場所やドブ川があり、悪臭がひどい」「すぐ南側に高層の建物があり、日当たりが悪い」等住環境として好ましくないと思われる情報もパンフレット等には記載されていません。現地を訪問して確かめることが大切です。

コンビニ等で、スタッフの「素」の姿をチェック

次に、スタッフの質です。これも当たり前ですがパンフレット等には良いことしか書いていません。また見学に行っても、スタッ

フには前もって「今日○時から見学があるから、身だしなみを整え、挨拶をしっかりするように」と伝えられていますから、見学で見られるのはよそ行きの姿です。スタッフの「素」の姿を知るには、多少の手間と工夫が必要です。

例えば、ホームの近くのコンビニエンスストアに行ってみるのも一つの手です。スタッフが休憩中や出勤前に買い物に来ている姿を見られるかもしれません（制服姿であればそこのホームのスタッフか判別できます）。誰しも出勤前や退勤後、休憩時間は気が緩み、「素」が出がちです。くわえたばこで歩く、ゴミのポイ捨てをする等、社会人としての資質を疑う姿を目にすることもあります。またスタッフ同士で買い物に来ているような場合、利用者の噂話といった個人情報保護等の面で問題がある会話をしている場面に遭遇することもあります。

そのホームにデイサービスや訪問介護・看護事業所等が併設されている場合には、ホーム近くで送迎や訪問のための車が走っている姿を見ることができます。さすがに利用者を乗せている場合には安全運転ですが、利用者を自宅に送り届けて事業所まで戻る間等には乱暴な運転をしたり、違法駐車をしたりと、スタッフの「素」が出るものです。以前、住宅街を窓全開にして大音量でハードロックをかけながら運転している「社会福祉法人○○会」と書いてあるワゴン車を見たことがあります。

社員教育が行き届いた会社では「社外では仕事の話をしないように」「出退勤の際に品位に欠けた服装や行動をしないように」と指導しています。にもかかわらず、こうしたスタッフがいるということは、会社としての教育体制が不十分か、スタッフ本人の資質に著しく問題があると考えられます。いずれにせよ良質なサービスは期待できません。

問い合わせは電話が基本
対応で分かるスタッフの質

最後に、これは多忙なホームに対してはちょっと迷惑な行為になりますので、あまりお勧めはできませんが、実際に問い合わせの電話をしてみると、スタッフの質や会社の教育体制のレベルが分かります。

例えばホームのパンフレットには、ホーム自体のことは詳しく書いてありますが、運営会社のことはあまり細かく書いていないこともあります。「会社の設立は何年ですか?」「介護事業を始めて何年になりますか?」「ほかにどこでホームを運営していますか?」等と問い合わせてみてください。いちばん良い対応は、スタッフ全員が自分の会社の歴史や商品について熟知していて、そうした問い合わせにすらすらと答えられることです。次にいいのは「私では分かりかねるので詳しい者に代わります（または、のちほど折り返しいたします)」「調べますので少々お待ちください」という対応です。しかし、実際にホームに電話をすると「分かりません」という対応をされるケースが少なくないのです。これまで経験したなかでは「社長の名前」「そちらのホームは介護付きか住宅型か」に「分かりません」と対応されたケースがありました。

自分の会社や商品について、簡単な説明すらできない人が仕事について高い意識をもっているとは思えませんし、また、まともな電話対応すら教育をしていない会社が運営するホームに多くのことを期待することは無駄と判断できます。

介護の三ツ星コンシェルジュ編集部（荒牧誠也、中川友貴）

シニア世代やその家族が、幸せな人生を過ごせることを目的に、株式会社ベイシスの事業部として発足した。介護施設等紹介サイト「介護の三ツ星コンシェルジュ ― 暮らしを豊かにするコラムサイト」を運営。「一般社団法人 日本シニア住宅相談員協会」と協同で、関西の主要地域の有料老人ホームを独自基準で調査している。

株式会社ベイシス

事業用不動産のデベロッパーとして、用地の取得から企画、設計、売却後の運営管理までの事業を一気通貫して行っている。シニア向け事業も展開している。

【取材協力】

一般社団法人 日本シニア住宅相談員協会 代表理事　岡本弘子

2015年1月に入居相談業有志によって設立。
利用者本位を基本理念に、優良な入居相談員の育成と入居相談業の適正な発展に向けて活動している。シニア住宅相談員認定研修【ベーシックコース】を年4回開催し、修了者をシニア住宅相談員として資格認定。さらにシニア住宅相談員を配置する等協会が定めた要件を満たした入居相談事業所を、あんしん相談窓口として事業所認定を行っている。
上級者向けのシニア住宅相談員認定研修【アドバンスコース】や、高齢者住宅関連事業者等の交流勉強会も定期的に開催し、知識の研鑽や情報交換の場づくりにも努めている。

本書についての
ご意見・ご感想はコチラ

1,472施設を調査した介護業界のプロが厳選

別冊「有料老人ホーム三ツ星ガイド2021年度版」大阪―兵庫 90選

2021年9月30日　第1刷発行

著　者　　介護の三ツ星コンシェルジュ編集部
発行人　　久保田貴幸

発行元　　株式会社 幻冬舎メディアコンサルティング
〒151-0051　東京都渋谷区千駄ヶ谷4-9-7
電話　03-5411-6440（編集）

発売元　　株式会社 幻冬舎
〒151-0051　東京都渋谷区千駄ヶ谷4-9-7
電話　03-5411-6222（営業）

印刷・製本　瞬報社写真印刷株式会社

装　丁　　荒川浩美（ことのはデザイン）

検印廃止

Printed in Japan
ISBN 978-4-344-93665-2 C0036
幻冬舎メディアコンサルティングHP　http://www.gentosha-mc.com/